LES BIJOUX DE MME DU BARRY

ÉDITION EN GRANDS CARACTÈRES, ILLUSTRÉE ET ANNOTÉE

H. WELSCHINGER

ALICIA ÉDITIONS

TABLE DES MATIÈRES

AVANT-PROPOS

L a bibliothèque de la ville de Versailles renferme quatorze liasses de documents originaux sur madame Du Barry, lesquels ont, en grande partie, servi à M. Le Roi, ancien conservateur de cette bibliothèque, pour écrire une importante brochure sur la célèbre maîtresse de Louis XV. Nous avons examiné à notre tour ces documents et, dans le nombre, nous en avons trouvé plusieurs, encore inédits, qui jettent une nouvelle et vive lumière sur deux points, dont les travaux les plus récents n'ont pas épuisé l'intérêt : les dépenses de madame Du Barry et le vol de ses diamants. Nos recherches et nos découvertes, tant à la bibliothèque de Versailles qu'aux Archives Nationales, nous ont déterminé à présenter au lecteur cette courte étude.

CHAPITRE PREMIER : LES DÉPENSES

On sait à la suite de quelles aventures Jeanne Gomard de Vaubernier, fille naturelle d'Anne Bécu dite Quantigny, devint la maîtresse de Louis XV ; comment cette femme, que Marie-Antoinette appelait « la plus sotte et impertinente créature qui soit imaginable » [1] épousa un sieur Guillaume DuBarry, officier de marine sans valeur, frère de Jean Du Barry, dit le Roué, lequel avait connu Jeanne Bécu sous le nom de Mademoiselle Lange en 1767 ; comment encore ce mariage eut lieu le 1er septembre 1768 à l'aide de faux papiers, et à quel prix le mari complaisant céda sa femme au Roi, en laissant toutefois à la comtesse, ainsi que le contrat le dit sérieusement, « la charge de la conduite de toutes les dépenses du ménage et de toutes autres dépenses quelconques sans exception. »

Dans cette honteuse intrigue, l'aventurier Jean Du Barry, frère de l'époux, touchait à la réalisation de ses désirs. Perdu de dettes, insatiable de débauches et d'orgies, cet homme audacieux allait surveiller, diriger et dominer en secret la comtesse Du Barry, exciter sa soif de millions et sa folie de dépenses, certain de s'attribuer une part opime dans ces prodigieuses richesses.

Ses désirs, ses rêves devaient être dépassés. Dès le premier jour, le Roi donnait à sa nouvelle maîtresse un collier de diamants, une aigrette et une paire de boucles d'oreilles en girandoles, un lit complet en damas vert, trente robes et jupons en étoffes de soie, or et argent, des dentelles d'Angleterre, de Bruxelles et de Valenciennes, six douzaines de chemises fines en toile de Hollande, douze déshabillés complets en étoffe de soie, etc., etc. [2].

C'était quelque chose déjà, mais cela ne pouvait suffire. En effet, la comtesse Du Barry voulant faire bonne figure à son mariage et, d'autre part, répondre aux demandes pressées de ses parents, notamment aux exigences du comte Jean, s'était décidée à emprunter de l'argent, comptant sur la générosité royale.

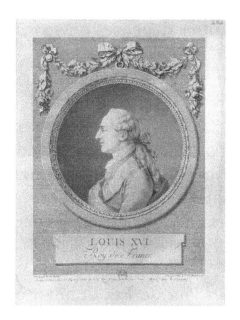

Louis XVI, Roy de France *par M.-L.-A. Boizot*
(BnF, 1775).

Elle trouva un créancier, qui, mis au courant de l'affaire, lui prêta pour douze années cinquante-quatre mille livres. Le créancier était un homme grave, occupant une haute position, ainsi que le prouve l'acte suivant :

« Le 23 juillet 1768 [3] fut présente dame Jeanne Benoist de Vaubernier, comtesse Du Barry, laquelle a reconnu devoir bien et légitimement à maître Louis-Samson Gomel, Avocat au Parlement et Procureur au Châtelet de Paris, demeurant à Paris, rue des Déchargeurs, paroisse Saint-Germain l'Auxerrois, à ce présent et acceptant, la somme de cinquante-quatre mille livres pour prêt de pareille somme que ledit Maître Gomel a fait à

ladite dame comtesse Du Barry en espèces son-
nantes et ayant cours pour employer à ses affaires,
dont quittance, laquelle somme la dite dame comtesse Du Barry promet et s'oblige de rendre et
payer au dit Maître Gomel au premier juillet
1780. » [4].

Les largesses du Roi répondent aux prévisions
de la favorite. À peine le mariage est-il conclu,
qu'elle obtient une sorte de pension équivalant à
300,000 francs par trimestre, soit à 1,200,000 francs
par an. Le temps de la faveur ayant duré du mois
de septembre 1768 au mois de mai 1774, c'est-à-
dire cinq ans et sept mois, on arrive à établir que
madame Du Barry a reçu comme pension près de
sept millions de livres [5]. Les documents les plus
formels prouvent que Louis XV donnait des
ordres particuliers pour les sommes importantes,
non prévues par cette pension. Beaujon, banquier
de la Cour, avait l'autorisation d'acquitter toutes
les dépenses de la maison de la favorite sur des
bons signés « Comtesse Du Barry ».

Si l'on ajoute à ces sept millions, cent cinquante mille livres de rentes viagères sur la ville
de Paris, sur les États de Bourgogne et sur les
Loges de Nantes [6] on a un premier aperçu du
budget de madame Du Barry.

Mais à une maîtresse en titre l'argent seul ne
suffisait pas. Il lui fallait une demeure somp-
tueuse. Après la concession de l'hôtel de la rue de

l'Orangerie, à Versailles, il lui fut accordé, le 24 juillet 1769, le pavillon de Luciennes, sorte de nid féerique qu'ornèrent à l'envi les plus célèbres artistes. À l'hôtel de la rue de l'Orangerie, au pavillon de Luciennes, si l'on joint encore le joli pavillon de Binet, situé avenue de Paris, à Versailles, lequel coûta plus de 300,000 livres, on se rend un compte à peu près exact — moins les présents particuliers, bijoux et diamants — de l'immense fortune de la comtesse Du Barry.

Examinons maintenant l'usage qu'elle en fait.

La favorite s'entoure immédiatement d'un nombreux domestique. Elle a un intendant, Montvallier, un premier valet de chambre, Morin, un coiffeur célèbre, Prétry, deux parfumeurs, Fargeon et Vigier, des couturières en renom, Mme Sigly, Mlle Bertin, Mme Fagette, des suisses, des postillons, des cochers, des piqueurs, des coureurs, des valets de pied, des porteurs de chaise, un maître d'hôtel, un officier d'office, des valets de garde-robe, un maître de chapelle, des femmes de chambre, un nègre, etc., etc. Parmi les noms de ses cinquante valets, le lecteur retiendra ceux de Zamor, Salanave, Briard et Lamante, qui furent ses accusateurs impitoyables devant le Tribunal révolutionnaire.

Dès que le succès de la nouvelle favorite est connu du public, les fournisseurs accourent en foule. Ce ne sont que joailliers, orfèvres, bijoutiers,

parfumeurs, brodeurs, fourreurs, chapeliers, fran-
giers, galonniers, boutonniers, chamarreurs, do-
reurs, fondeurs, marbriers, marchands de toiles,
de soieries, de dentelles, modistes, couturières,
lingères, qui se disputent les commandes de madame Du Barry. Les peintres, les sculpteurs, les
poètes se pressent autour d'elle, jaloux de reproduire ou de chanter ses grâces et sa beauté.

Madame du Barry et son esclave Zamor *par J.-
B.-A. Gautier-Dagoty (Clark Art Institute, 1775).*

Bientôt les mémoires pleuvent de toutes parts.
De 1768 à 1769 le tailleur Carlier [7] habille, au prix
de huit mille sept cent soixante livres, les gens de
sa maison. De 1769 à 1770 le second mémoire
d'habillements s'élève à dix-sept mille trois cent

deux livres, et le troisième, pour le premier trimestre de 1771, à dix mille cent quinze livres.

Ainsi, en deux ans et trois mois, la dépense des livrées montait à elle seule à plus de trente-cinq mille livres.

Veut-on savoir à combien revenait un costume du nègre Zamor?

En voici le détail, extrait d'un mémoire de Carlier :

« Le 8 mars 1770, avoir fait un habit de housard, galonné en argent, façon 24 livres. — Trois aunes et demi de poult de soie pour habit, culotte, bonnet et brodequins, 45 livres. — Vingt-deux aunes de petit galon et chaînettes d'argent, 103 livres. — Cinq douzaines de petit galon et chaînettes d'argent, 10 livres. — Maroquin qui garnit le bas de l'habit, 4 livres. — Pour ceinturon et petit sabre, 22 livres. — Pour le bonnet, façon et plume, 18 livres. — Doublure de la culotte et poches et soie qui garnit le bas, 4 livres. — Houppe qui est au bonnet garni et pailleté, 10 livres. Total : 242 livres. »

Dans cette même année 1770, le nègre favori avait reçu sept costumes semblables en couleur chair, en soie bleue, en canelet rose, en argent, en taffetas blanc, en velours cerise, en petit velours uni, plus un habit de matelot en basin de Silésie et un habit de coureur.

Le Zamor tant choyé, qui coûtait à lui seul

pour son habillement plus de 2,000 livres par an, le gouverneur de Luciennes, qui avait été tenu sur les fonts baptismaux par madame Du Barry et le prince de Conti, lesquels lui avaient assuré chacun 25o livres de rente, devait être un terrible ingrat.

En 1793, le nègre, s'associant à d'autres domestiques de la comtesse et à un abominable coureur d'aventures nommé Greive [8], accusait sa bienfaitrice de « royalisme » et décidait son arrêt de mort.

Les parents et les amis de madame Du Barry participaient sans vergogne à sa singulière fortune. Son beau-père, monsieur de Montrable, jadis M. Rançon, et l'abbé Gomard, qui avait prêté le nom de son frère Jean-Jacques Gomard de Vaubernier pour servir de père à la comtesse, se faisaient habiller à ses frais. Nous avons trouvé pour le premier, en 1770, une dépense de 1,950 livres et pour le second une autre de 950. En résumé, pour les parents, amis et domestiques, le tailleur Carlier présentait en cinq ans des mémoires s'élevant à plus de 80,000 livres. Si l'on y ajoute la propre dépense de madame Du Barry, on obtient, dans le même laps de temps, un total de 500,000 livres.

De leur côté, les artistes, peintres et sculpteurs, devaient se féliciter d'un modèle aussi généreux. Divers mémoires nous apprennent que Vien avait reçu 16,000 livres ; Drouais 30,000 livres ; Caffieri 3,000 ; Guichard 6,419 ; Pajou 18,902 ; Greuze

2,800. Les portraits de madame Du Barry en Muse et en Flore avaient coûté 16,200 livres et l'un de ses bustes en marbre blanc, 6,000 livres. Boudeville, Casanova, Briard, Lemoyne, Musson, Forty, Feuillet, Métivier, Allegrain, Le Comte, Monot et autres artistes touchèrent également des sommes considérables.

Portrait de madame Du Barry tenant une corbeille de roses *par François-Hubert Drouais (1727–1775)*

La comtesse se plaisait à faire reproduire souvent son image, si l'on en juge par les portraits qu'elle donna au maréchal de Soubise, au duc d'Aiguillon, au prince de Deux-Ponts, au landgrave de Hesse-Cassel, au roi de Suède. Ce dernier dut pousser assez loin ses galanteries, comme le prouverait le passage suivant d'une lettre de Marie-Thérèse au comte de Mercy-Argenteau, son ambassadeur près la cour de France :

« On raconte ici, » écrivait l'impératrice, « des bassesses du roi de Suède vis-à-vis de cette femme. Quelle honte !... » Ces bassesses consistaient, entre autres, dans le présent d'un riche collier donné à la chienne Mirza et dans un petit souper accepté par le roi de Suède.

Nous arrivons maintenant aux mémoires des joailliers. Ce sont là les dépenses folles de madame Du Barry. Aubert, Roëttier, Rouen, Leconte, Bœhmer, Demay, Straz, Calmer et Beaulieu lui apportaient chaque jour de véritables merveilles, qu'elle achetait sans en discuter le prix. Ainsi, en 1772, Aubert lui fournit pour 91,000 livres de bagues, bouillons, glands, colliers, esclavages, boucles de souliers, bracelets, etc.

Citons comme spécimen la petite note suivante :

« Boucles d'oreilles, 35,000 livres. — Chaîne de montre, 25,000. — Deux glands, 900. — Bijoux divers, 3,200. — Porte-crayon, 700. — Boucles d'oreilles en perles, 432. — Colliers, 1,650. — Cachet entouré de petites roses, 48. — Boucles d'oreilles et collier de jais, 430. — Collier agate onyx, 2,400. — Deux colliers d'or, 240. — Total, 70,000 livres. »

En 1775, madame Du Barry achète à Aubert une parure au prix de 390,000 livres et un pompon en brillants pour 20,096 livres, ce qui donne un total de 410,096 livres. Le bijoutier lui réclame respectueusement, le 6 mars de cette même année, 7,200 livres restant dues sur le pompon, en lui demandant « la permission d'aller lui faire sa cour, ce qu'il espère qu'elle voudra bien lui accorder,

l'ayant toujours reçu avec sa bonté ordinaire. »
Était-il possible de discuter le prix d'une parure
avec des fournisseurs aussi galants ?

En somme, de 1768 à 1774 seulement, les mémoires des joailliers s'élèvent à plus de 2 millions
de livres. Le vol des bijoux nous montrera à quel
point madame Du Barry était avide de diamants,
de perles, de saphirs, de rubis, d'émeraudes, de
pierres précieuses. C'est un scintillement, un ruis-
sellement, un éclat fantastique, qui, à la simple nomenclature des joyaux dérobés, surprend, éblouit
et lasse les yeux.

Si nous nous arrêtons un moment aux soieries,
aux toiles, aux dentelles, nous trouvons 600,000
livres dépensées dans cette même période. La
façon de ces étoffes chez la célèbre modiste, Mlle
Bertin, monte à plus de 100,000 livres, soit, pour
les étoffes et la façon, 700,000 livres au moins.
Quant aux chapeliers, fourreurs et parfumeurs,
leurs réclamations, dans ces cinq années, dé-
passent 50,000 livres.

Venons à présent à Luciennes. Ce superbe pavillon, dont les tableaux, vases et autres objets
d'art valaient à eux seuls plus de 350,000 livres,
était, comme on le sait, l'habitation préférée de la
comtesse. Si l'on veut se rendre compte à peu près
de ce que Luciennes a coûté, en dehors de la do-
nation, qu'on jette un coup d'oeil rapide sur les
mémoires de l'architecte Ledoux. Les construc-

tions et les réparations vont à 350,000 livres. Qu'on examine aussi les mémoires de Gouthière, ciseleur et doreur des Menus-Plaisirs du Roi. Ce Gouthière demeurait à Paris, quai Pelletier, à l'enseigne de *la Boucle d'Or*. Sur les ordres de Ledoux, il exécuta à Luciennes les ouvrages de bronze, dorure et ciselure, et c'est de ses mémoires que nous allons extraire d'intéressants détails.

Les bras à roses à trois branches, composés de branches de roses et de myrtes avec nœuds de rubans, dorés en couleur mate, valaient 20,000 livres. Ils formaient un des ornements du salon ovale.

Les bronzes des cheminées du même salon qui représentaient, les uns des trépieds décorés de têtes de bouc, des guirlandes de vigne, des cœurs entrelacés et des vases ornés de flammes, les autres des branches de vigne, des feuilles d'eau, des fleurs avec thyrse et serpents, coûtèrent 10,000 livres.

Les boutons des portes et les espagnolettes des croisées s'élevèrent à la somme de 6,000 livres. Même somme pour le feu à cassolettes, de couleur violet mat. Les dorures et ciselures du grand salon montèrent à plus de 60,000 livres et celles du salon à cul de four à plus de 16,000 livres.

Le premier mémoire de Gouthière, qui comprenait une dépense de 134,218 livres, fut réduit à 99,298 livres par Roëttier, orfèvre du roi, et payé par madame Du Barry, le 31 décembre 1773. Le second mémoire du même ciseleur nous permet d'offrir au lecteur la description d'un important ouvrage d'art. Il s'agit d'un « autel » orné d'un bout de colonne et d'un vase avec des figures de femmes, des guirlandes de fleurs et des têtes de bouc. Deux urnes décoraient chaque côté, l'une représentant le vin, et l'autre l'eau. Près de la première se tenait un satyre entouré de guirlandes de vigne, et sur la seconde était appuyée une naïade, les pieds placés sur des coquillages. Cet autel, élevé aux divinités païennes, était estimé à lui seul 8,335 livres.

En évaluant les meubles, tableaux et vases à 350,000 livres (chiffre minimum), les sculptures, dorures et ciselures à 300,000, et les réparations, constructions nouvelles et entretien des jardins à 350,000, on trouve que le pavillon de Luciennes, défalcation faite de sa propre valeur, représentait un million de livres.

Les dépenses personnelles de madame Du Barry sont aussi très curieuses à examiner. De petites notes nous ont aidé dans ce travail. On y voit que madame Du Barry aimait fort les tapisseries, qu'elle en achetait sept à la Savonnerie au prix de quarante et quelques mille livres ; qu'elle consacrait 25 à 30,000 livres par an à ses chevaux et voitures ; qu'elle était abonnée à la *Gazette de France*, au *Moniteur*, aux *Actes des Apôtres*, au *Logographe*, à la *Gazette universelle*, à la *Correspondance politique*, à la *Gazette du Courrier de l'Europe et de Leyde*, au *Journal politique de Genève*, au *Journal de Linguet*, au *Journal de Pari*s, le tout pour près de 400 livres par an. Elle se procurait pour 60 livres les *Œuvres posthumes du roi de Prusse*, pour 15 livres les *Harangues de Démosthèlze*, pour 10 livres le poème de l'*Agriculture*, etc.

Elle donnait 60 livres à un horloger « pour le cylindre de la montre à diamans remise à M. d'Escourt. » Elle payait 1,500 livres au sieur Pochet pour sa loge à l'Opéra. Ses vins favoris étaient le Volnay et le Chambolle.

Le jeu était en grand honneur à Luciennes. Au mois de novembre 1771, le duc de Duras gagnait à la favorite 30,040 livres ; M. de Chauvelin, 18,528 ; en mai 1772, le duc de la Vallière, 4,176 livres ; le marquis d'Entraigues, 9, 156 ; le duc de Laval, 8,208 ; Mme de Mirepoix, 1,296 ; le marquis d'Arcambot, 17,599 ; le duc de Cossé, 12,800 ; M. de Flessel, 4,762, et M. de Montvallier, 10,000 [9].

La bibliothèque de la comtesse Du Barry était composée de volumes richement reliés à ses armes. Nous avons relevé, parmi ceux qui se trouvent à la bibliothèque de Versailles, les œuvres de Rabelais, Marot, Villon, Regnier, Scarron, Dorat, Marivaux, Piron, J.-J. Rousseau et Voltaire. Ce dernier y méritait la première place pour avoir envoyé à la comtesse cette épître fameuse :

« 20 juin 1773.

« M. de la Borde m'a dit que vous lui aviez ordonné de m'embrasser des deux côtés, de votre
part.

> *Quoi, deux baisers sur la fin de ma vie !*
> *Quel passe-port vous daignez m'envoyer*
> *!*
> *Deux ! c'est trop d'un, adorable Égérie,*
> *Je serais mort de plaisir au premier !*

« Il m'a montré votre portrait. Ne vous fâchez
pas, Madame, si j'ai pris la liberté de lui rendre les
deux baisers.

> *Vous ne pouvez empêcher cet hommage,*
> *Faible tribut de quiconque a des yeux.*
> *C'est aux mortels d'adorer votre image,*
> *L'original était fait pour les dieux.*

« J'ai entendu plusieurs morceaux de la *Pan-
dore* de M. de la Borde ; ils m'ont paru dignes de
votre protection. La faveur donnée aux beaux-arts
est la seule chose qui puisse augmenter l'éclat
dont vous brillez.

> *Votre portrait va me suivre sans cesse*
> *Et je lui rends vos baisers ravissants ;*

Oui, tous les deux et, dans ma douce
  ivresse.
Je voudrais voir renaître mon
  printemps !

« Daignez agréer, Madame, le profond respect d'un vieux solitaire, dont le cœur n'a presque plus d'autre sentiment que celui de la reconnaissance.

« Voltaire. »

Cette lettre, qui effaçait le pamphlet de « *la Cour du roi Pétaud* » dirigé contre Louis XV, amena plus tard quelques relations à Paris entre Voltaire et l'ancienne favorite [10]. Voici comment les journaux racontèrent leur entrevue, le 22 février 1778 :

« M. de Voltaire a tant travaillé vendredi dernier qu'il n'a pas laissé à son secrétaire le temps de l'habiller. Madame la comtesse Du Barry s'est présentée l'après-midi pour le visiter. On a eu beaucoup de peine à déterminer le vieux malade à la voir. Son amour-propre souffrait de paraître devant cette beauté, sans toilette et sans préparation. Il a cédé enfin à ses instances et réparé par les grâces de l'esprit ce qui lui manquait du côté de l'élégance extérieure. »

De son côté, l'abbé Delille lui adressait des vers galants, dont nous avons retrouvé les originaux aux Archives Nationales (carton W^{16}, dossier 701).

En voici quelques-uns :

> *À Madame la comtesse Du Barry avec*
> *   une bourse :*
> *Est-ce dans ce triste moment*
> *Où le royaume sans ressource*
> *S'anéantit sous un chef impuissant ;*
> *Où du crédit et de l'argent*
> *Douze cents conjurés ont épuisé la*
> *   source :*
> *Qu'un créancier qui vous doit tant,*
> *Et que l'on nomme sentiment,*
> *Ordonne que je vous rembourse ?*

Celui qui a catalogué les pièces du dossier de madame Du Barry, c'est-à-dire Greive, a écrit sur celle-ci : « Vers dans le véritable esprit contre-révolutionnaire. »

Mais revenons au budget de la comtesse. Ses dépenses particulières, aumônes et gratifications se chiffrent à plus de 20,000 livres par an. Nous n'y comprenons pas les secours et pensions à ses parents et amis. Chaque année, au moins jusqu'en 1774, madame Du Barry consacrait à cet usage environ 200,000 livres. Elle ne pouvait que difficilement satisfaire à la cupidité effrénée de son beau-frère. Quant à son mari, tout en faisant appel à la générosité royale, il était moins exigeant.

Il importe de rappeler ici que M. Le Roi a extrait des Archives de Seine-et Oise et publié un état des sommes payées pour le compte de madame Du Barry par Beaujon, banquier de la Cour, pendant la période de 1768 à 1774. Cet état nous donne un total de six millions quatre cent et quelques mille livres, sans y mentionner les présents personnels du Roi.

On sait qu'après la mort de Louis XV, le 10 mai 1774, d'autres même assurent quelques jours auparavant, la favorite fut exilée de la Cour et obligée de se retirer au couvent de Pont-aux-Dames, près de Meaux. Cette disgrâce fut un coup terrible pour madame Du Barry. Ce dont elle ne pouvait se consoler surtout, c'était de n'avoir « qu'une seule femme de chambre. » Tel était le regret qu'elle éprouvait de la mort du Roi !… Ce seul mot est tout son portrait.

À ce moment, le comte Jean, effrayé des colères que son impudence avait soulevées, se réfugiait à Genève, tandis que le mari, Guillaume Du Barry, était à Toulouse l'objet des insultes populaires. La fortune de la comtesse, si facilement et si rapidement élevée, allait s'ébranler et presque s'écrouler sous les assauts des fournisseurs, devenus tout à coup créanciers impitoyables. Pour apaiser les plus impatients, madame Du Barry, qui, après une année d'exil à Pont-aux-Dames, avait obtenu la faveur de se retirer dans sa petite terre de Saint-Vrain, située près d'Arpajon, commença à vendre ses bijoux, son argenterie, puis son hôtel de Versailles, dont elle retira plus de 200,000 livres.

Le joaillier Aubert lui offrait alors de se débarrasser d'une ancienne parure « à des conditions qui convenaient, disait-il, infiniment à Madame, soit à 188,000 livres », et la comtesse lui répondait de Saint-Vrain : « J'acceptes l'offre si-dessus (*sic*) ». Ses dettes, si l'on en croit M. le Roi, étaient énormes. Elles dépassaient 1,200,000 livres. La comtesse eut enfin quelque répit après la vente des premiers bijoux et de l'hôtel de Versailles.

Voici un extrait du rapport de M. Roëttier, orfèvre du Roi, au sujet de la vente de l'argenterie de madame Du Barry :

« On a partagé, écrivait-il, toute l'argenterie en deux états.

« L'un contient toute celle que Madame peut garder et l'autre toute celle qui est inutile et que l'on peut vendre ; dont il pourra revenir environ cent mille livres, sur quoi il conviendra de payer à M. Roëttier environ quarante mille livres qui lui sont dues. Partant, il restera soixante mille livres dont madame la comtesse pourra disposer. »

— Autres observations de M. Roëttier.

« Il estime que 36 cuillers à ragoût sont suffisantes. Ainsi de 90 on en vendra 54. De même pour les couverts, il estime que de douze douzaines, huit suffisent. On ne garde point de girandoles, lesquelles seront bien vendues. Il propose de vendre les 21 cuillers à café de vermeil ou les deux douzaines et demi d'argent du n° 31. »

Après avoir paré aux premières nécessités avec l'appui des banquiers Vandenyver, madame Du Barry obtint enfin l'autorisation, tant de fois sollicitée, de retourner à Luciennes. Sans tenir compte des leçons du passé, elle y continua ses prodigalités, comme si elle avait encore eu le Trésor royal à sa disposition. Du 21 août 1779 au 1er octobre 1780, son intendant relevait déjà un déficit de plus de 40,000 livres sur la dépense courante. Les dettes devinrent bientôt si considérables, que la comtesse en fut réduite à supplier Louis XVI de convertir ses rentes, qui s'élevaient à 60,000 livres annuelles, en 1,250,000 livres payables par l'État. Les démarches de nombreux et puissants amis, M. de Calonne entre autres, facilitèrent cette conversion.

Madame Du Barry avait à satisfaire, outre ses créanciers, ses propres parents. Ne pouvant échapper à leurs obsessions, elle s'engage, le 1er juin 1780, à payer en rente viagère 1,200 livres à la veuve Bécu, 600 livres à Jean-Baptiste Bécu, 600 livres à Gabriel-Pierre Bécu et 600 livres à Henri-Nicolas Bécu !

Dépenses et dettes croissent de jour en jour. Les déboursés faits pour le compte de madame Du Barry par maître B… constatent que, pour le premier trimestre de 1789, on a payé 46,723 livres et qu'il reste à payer pour la fin de mars et le courant d'avril plus de 60,000 livres. Mlle Bertin réclame de son côté une note de 40,000 livres. Pendant ce temps, les parents de madame Du Barry continuent à la harceler. M. de Montrable, mari de sa mère, lui écrit le 9 janvier 1789 : « Du jour du décès de mon épouse, j'ai un an et un jour pour me faire rendre justice. Si tôt que le temps le permettra, j'irai à Paris, à moins que vous n'en ordonniez autrement. » Il lui rappelait ainsi qu'elle avait promis de constituer à son profit une rente viagère de 2,000 livres.

Madame Du Barry prend alors l'engagement suivant : « Je reconnais devoir à M. de Montrable la somme de vingt mille livres, pour laquelle somme je dois lui payer les intérêts à dix pour cent jusqu'au jour de sa mort.

« Je m'engage de lui payer cinq cents livres tous les trois mois, lui ayant fait ladite rente à commencer le jour du décès de maman, arrivé le 20 octobre 1788. »

La malheureuse femme était obligée d'un autre côté de reconnaître une dette de 60,000 livres contractée par un de ses neveux envers un sieur Du Tuez. Poursuivie par ses parents, traquée par ses créanciers, elle se décide à vendre, par l'entremise des banquiers Vandenyver, une partie de ses diamants à l'étranger. Elle avait déjà fait vendre en novembre 1789 pour 133,000 livres de brillants par MM. Stopes et Cie à Amsterdam, ainsi que le constate un reçu des Vandenyver [11].

Pour réaliser ce projet, elle réunit tous ses bijoux dans une pièce du pavillon de Luciennes, en se faisant aider par quelques domestiques. Malgré toutes ses précautions, on devina son dessein ; le secret fut dévoilé et les diamants furent dérobés en l'absence de madame Du Barry, dans la nuit du 10 au 11 janvier 1791.

Nous allons étudier en détail, à l'aide de pièces nouvelles, cette grave affaire qui entraîna la perte de la comtesse, de ses banquiers, et de quelques-uns de ses amis, mais auparavant qu'il nous soit permis de jeter un rapide coup d'œil sur cette première partie de la vie de madame Du Barry.

Élevée comme par surprise au premier rang de la faveur, succédant à la Pompadour, qui avait su mêler au moins à ses aventures galantes une vie d'intrigues politiques, la Du Barry n'eut qu'une passion : le luxe ; qu'un désir : la dépense. Jeter l'or et l'argent à tous ses caprices, se parer de diamants, se promener dans des carrosses étincelants de dorures, précédée de coureurs et suivie de valets aux livrées chamarrées, élever des hôtels somptueux, courir les chasses, présider aux jeux et aux fêtes, s'entourer d'un monde de peintres, de sculpteurs, de ciseleurs, d'un peuple de brodeurs, de tailleurs, de coiffeurs, de parfumeurs, d'une foule de danseurs, de modistes, de comédiens et de comédiennes, en un mot, jouir de la vie en grande courtisane, telle fut son ambition assouvie. La seule qualité que l'étude de ses folles dépenses nous révèle, c'est sa bonté native pour les siens et son empressement à les secourir. Cette qualité est encore un des traits distinctifs de l'espèce [12].

La destinée infligeait une terrible leçon à la Du Barry : le vol de ses diamants, qu'elle allait rechercher avec une énergie surhumaine, et dont on devait bientôt lui faire un crime pour la conduire à l'échafaud.

Madame du Barry, conduite à l'échafaud.

1. Correspondance Mercy-Argenteau ; Paris, Firmin-Didot, 1874.
2. État annexé au contrat de mariage de la comtesse Du Barry.
3. Le mariage eut lieu le 1er septembre.
4. Ces documents et les suivants, qui ne sont pas indiqués comme provenant des Archives Nationales, sont empruntés à la bibliothèque de Versailles.
5. M. Dauban parle de plus de douze millions de livres, ce qui ferait aujourd'hui au moins trente-sept millions.
6. Les Loges de Nantes (40,000 livres de rente) lui avaient été données par le Roi au commencement de l'année 1770. Ces loges étaient des locations de baraques, de boutiques, d'appentis établis sur la contrescarpe, à Nantes.
7. En consultant un mémoire du tailleur Carlier, nous y avons découvert le nom de « *La France* », valet de chambre de la comtesse. Nous croyons que le mot cynique, tant de fois cité. et récemment encore par MM. de Goncourt (*La Du Barry*, p. 149) : « *La France, ton café f… le camp !* » s'adressait au valet et non au Roi.
8. Nous plaçons à la fin de cette étude une intéressante note inédite sur Greive, l'ami de Marat, dont la personnalité exacte a, pour ainsi dire, échappé jusqu'ici à ceux qui se sont occupés de madame Du Barry. (Appendice, pièce n°10.)
9. Archives nationales, W^{16} 701.
10. La lettre s'ébruita et fit sourire. Voltaire chercha à se défendre du reproche de basse flatterie, en écrivant au duc de Richelieu qu'il avait voulu être « insolent » avec madame Du Barry. Le 20 septembre suivant, il envoyait de Ferney une montre à la favorite.
11. Voir à l'Appendice. pièce n° 1.
12. Voltaire, cependant, écrivait le 4 octobre 1772 au comte d'Argental : « J'entends dire qu'elle a beaucoup de goût et d'esprit naturel. » Il devait en être récompensé par deux baisers de la favorite. Ces deux baisers qui, sur le moment même, lui avaient littéralement tourné la tête, le préoccupèrent assez pour que, dans la suite, il crût devoir écrire à M. de Saint-Lambert : « Si j'ai rendu à une belle dame deux baisers qu'elle m'avait envoyés par la poste, per-

sonne ne doit m'en blâmer : la poésie a cela de bon qu'elle permet d'être insolent en vers, quoi qu'on soit fort misérable en prose.

Je suis un vieillard très-galant avec les dames. »
(Ferney, 1er septembre 1773.)

CHAPITRE SECOND : LE VOL DES DIAMANTS

DEUX MILLE LOUIS

A GAGNER,

DIAMANS ET BIJOUX

PERDUS.

Il a été volé chez Madame du Bary, au Château de Louvecienne, dit Lucienne, près Marly, dans la nuit du 10 au 11 Janvier 1791, les Diamans & Bijoux ci-après :

Une bague d'un brillant blanc, quarré long, pesant environ 35 grains, montée en cage.

Une dite d'un brillant, pesant environ 50 grains.

Une dite d'un brillant, de 26 à 28 grains.

Une dite d'un saphir, quarré long, avec un amour, gravé dessus, & deux brillans sur le corps.

Un baguier en roussette verte, renfermant 20 à 25 bagues, dont une d'une grosse émeraude pendeloque, montée à jour, pesant environ 36 grains, d'une belle couleur, mais très-jardineuse, ayant beaucoup de dessous; une d'une onix, représentant le portrait de Louis XIV, dont les cheveux & les moustaches sont en sardoine; une d'un César de deux couleurs; une d'une émeraude quarré long, pesant environ 20 grains; une d'un brillant brun puce, pesant 14 à 16 grains; une d'un onix, représentant Bachus, &c.

SUR LE PAPIER.

Un brillant blanc, pesant 29 grains.

gros brillant au bout, pesant environ 12 grains, tenant sur le tout par une visse.

Une paire de boutons de manches, d'une émeraude, d'un saphir, d'un diamant jaune & d'un rubis; le tout entouré de brillans de grosseur de pierres de 4 grains.

Un bouton d'un très-gros brillant, couleur de rose, pesant 36 à 40 grains, monté en bouton de colle.

Deux grandes bandes de cordon de montre, composé de 16 chainons à trois pierres, dont une grande émeraude, & deux brillans de 3 & 4 grains, de chaque côté, & 3 autres petites bandes de deux chainons chaque, pareils à ceux ci-dessus.

Une barette d'un très-gros brillant, caré-long, pesant environ 60 grains, avec trois grosses émeraudes dessous, pesant 8 à 10 grains, avec deux brillans aux deux côtés, pesant un grain chaque, montés à jour; il est à observer que cette barette n'est pas polie.

Une bague d'un brillant d'environ 26 grains, montée à jour, avec des brillans sur le corps.

Deux girandoles d'or, formant flambeaux, montées sur

Un dit, pefant 25 grains.
Un dit, pefant 25 grains.
Un dit, forme pendeloque, pefant 28 grains.
Un dit, rond, pefant 23 grains.
Un dit, idem, pefant 25 grains.
Un dit, pefant 24 grains.
Un dit, qualité inférieure, quarré long, pefant 23 grains.
Trois dit, idem, pefant chacun 23 grains 1/2.
Un brillant en épingle, forme longue, pefant 30 grains.
Un brillant, idem, forme lozange, pefant 33 grains.
Deux brillants très-beaux, en boutons d'oreilles, pefant chacun 50 grains.
Deux bracelets enfemble, de 24 brillants, pefant environ 15 à 16 grains chaque.
Une rofe, montée à jour, de 528 brillants blancs, dont un gros au milieu, criftallin, pefant 24 grains environ.
Un colier de 24 beaux brillants, montés en châtons à jour de 15 à 20 grains chaque.
Huit parties de rubans en bouillons chacune, de 21 brillans à jour, chaque brillant pefant depuis quatre grains jufqu'à huit grains.
Une paire de boucles de foulier, de 84 brillans, pefant 77 karats 1/4.
Une croix de 16 gros brillans, pefans 8 à 10 grains chaque.
64 châtons, pefans depuis 6 jufqu'à 10 grains.
Une belle paire de girandoles, en gros brillans, de la valeur de 120000 livres.
Une bourfe à argent en foie bleue, avec fes coulans, fes glands & leurs franges, le tout en petits brillans, montés à jour.
Un efclavage à double rang de perles, avec fa chûte; le tout d'environ 200 perles, pefant 4 à 5 grains chaque.
Un gros brillant au haut de la chûte, pefant 25 à 26 grains, & au bas, un gland à franges & fon nœud; le tout en brillans montés à jour.
Une paire de braffelets de 6 rangs de perles, pefant 4 à 5 grains chaque; le fond du braffelet eft une émeraude, furmontée d'un chiffre en diamans, formé en deux L pour l'un, & d'un D & B pour l'autre.
Et deux cadenats de 4 brillans, pefant 8 à 10 grains.
Un rang de 154 perles enfilées, pefant 4 à 5 grains chaque.
Un portrait de Louis XV, peint par Maffé, entouré d'une bordure d'or, à feuilles de laurier; ledit portrait de 5 à 6 pouces de haut.
Un autre portrait de Louis XV, peint par le même, plus petit, dans un médaillon d'or.
Une montre d'or, fimple, de Romilly.
Un étui d'or à curedent, émaillé en verd, avec un très-

deux fûts de colonne d'or, émaillées en lapis, surmontées de deux tourterelles d'argent, des carquois & des flêches, faits par Durand.
Un étui d'or émaillé en vert, au bout duquel eft une petite montre faite par Romilly, entourée de quatre cercles de diamants, & de l'autre des armoiries.
Deux autres étuis d'or, l'un émaillé en rubans bleus, & l'autre en émaux de couleurs & paysages.
17 diamants démontés de toutes formes, pesant depuis 25 jufqu'à 30 grains chacun, dont une pendeloque montée, pefant 36 grains.
Deux autres barrieres de bracelets, détachées également de quatre diamants chacune, pesant le même poids ci-contre.
64 châtons dans un feul fil, formant colier, pefant 8 à 9 & 10 grains chacun en diamant, montés à jour.
Deux boucles d'oreilles de coques de perles, avec deux diamants au bout.
Un autre portrait de Louis XIV, de Petitot, un autre de feu MONSIEUR, tous les deux en émail, ainfi qu'un portrait de femme également de Petitot.
Une écritoire de vieux laque superbe, enrichie d'or & formant néceffaire, tous les uftenfiles en or.
Deux souvenirs, l'un en laque rouge, & l'autre en laque fond or, à figures, l'un monté en or & l'autre monté en or émaillé.
Deux petits flambeaux d'argent de toilette perlés & armoriés.
Une boite de criftal de roche, couverte d'une double boîte, travaillée à jour.
Pieces d'or Portugaifes, guinées & demi-guinées d'Espagne, une dite des Noailles, des Louis XV, frappées à-peu-près dans cette forme, dans chaque angle de cette piece font des fleurs-de-lys, une de M. Bignon, de M. de la Michaudiere & de M. de Caumartin, aux armes de la Ville, une de la régence.
Plus, 40 petits diamants, pesant un karat chaque.
Deux lorgnettes, l'une émaillée en bleu, l'autre émaillée en rouge, avec le portrait du feu Roi, toutes deux montées en or.
Un fouvenir en émail bleu, avec des peintures en grisaille, représentant, d'un côté, une offrande, & de l'autre côté, une laitiere, avec un petit chien à longues oreilles.
Un reliquaire d'un pouce environ, d'un or très-pur, émaillé en noir & blanc, une petite croix montée deffus affez gothiquement, & une perle fine de la groffeur d'un pois au bas.
Et plufieurs autres bijoux d'un très-grand prix.]

S'adreffer à Louveciennes, près Marly, chez Madame du BARRI, & à Paris, chez M. ROUEN, Notaire, rue des Petits-Champs, & à M. ROUEN, Marchand Orfèvre-Joyaillier, rue Saint Louis au Palais, & au Clerc du Bureau, rue des Orfèvres.

Récompense honnête & proportionnée aux objets que l'on rapportera.

De l'Imprimerie de la Veuve DELAGUETTE, rue de la Vieille-Draperie.

Depuis son retour à Luciennes, la comtesse Du Barry avait repris ses habitudes somptueuses. Le joli pavillon était fréquemment visité par lord Seymour, le duc d'Aiguillon, le marquis Louis d'Armaillé, le chevalier d'Escourt et d'autres gentilshommes restés fidèles à la favorite déchue.

Dans la petite cour dont elle s'était entourée, se trouvait le duc de Brissac, qui parvint à gagner ses faveurs. Il est notoire que la comtesse allait souvent le voir à son hôtel, à Paris, au faubourg Saint-Germain, et que le duc, de son côté, lui rendait de nombreuses visites.

Dans la nuit du 10 au 11 janvier 179 1, pendant l'absence de madame Du Barry, l'appartement où les diamants étaient réunis dans une superbe commode en porcelaine de Sèvres, évaluée à elle seule à plus de quatre-vingt mille livres, fut forcé, et les bijoux disparurent. L'administrateur de police Perron, prévenu aussitôt du vol, envoya à la comtesse, pour découvrir les coupables, un sieur d'Angremont, chef du bureau militaire de l'Hôtel de Ville, qui vint prendre des informations sur les lieux [1]. D'Angremont fit d'abord arrêter un suisse de la garnison de Courbevoie, lequel était préposé à la garde du pavillon. Ce soldat avoua que des individus qu'il ne connaissait pas l'avaient emmené et enivré dans un cabaret, et que le vol avait dû avoir lieu pendant son sommeil.

Cette arrestation fit grand bruit à Paris. Les journaux démocrates, entre autres les Révolutions de Paris, accusèrent la comtesse de jeter la discorde entre les habitants de Luciennes et les suisses de Courbevoie, d'attenter à la liberté individuelle, de tramer une conspiration avec les officiers et d'avoir inventé le vol, dans la crainte de voir l'Assemblée nationale lui diminuer ses revenus. Cette dernière supposition était absolument fausse. Plusieurs documents inédits, que nous publions dans l'Appendice (pièces n°. 3 à 9), prouvent d'une façon irréfutable que les diamants ont été réellement dérobés.

Madame Du Barry n'écoutait aucune menace. Tout entière à ses recherches, elle consultait, nous disent les contemporains, les sorciers et les devins ; elle mettait en campagne les hauts et bas officiers de police, enfin elle promettait deux mille louis de récompense à qui découvrirait les voleurs et les objets soustraits. De nombreuses publications, parmi lesquelles nous citerons l'ouvrage de M. Le Roi et celui de MM. de Goncourt sur les *Maîtresses de Louis XV*, ont déjà donné le détail de ces objets, et nous n'en remettrons pas l'interminable liste sous les yeux du lecteur. Qu'il nous suffise de mentionner ici que la comtesse Du Barry perdait plus de cent quarante gros diamants, sept cents brillants, trois cents grosses perles, trois gros saphirs, sept grandes émeraudes, sans compter les onyx, rubis, sardoines, émaux, bijoux en or, médaillons, colliers, bagues, etc., etc., le tout évalué par la comtesse à 1,500,000 livres.

Les agents de police se crurent un moment sur

la piste des voleurs. Deux d'entre eux écrivirent la lettre suivante à madame Du Barry :

« SECTION MAUCONSEIL, COMMISSAIRE DE POLICE.

« Madame la Comtesse,

« Nous avons, d'après les ordres de MM. les Administrateurs de police, et particulièrement M. Perron, fait des recherches sur les objets qui vous ont été volés. Nous sommes parvenus à découvrir trois des particuliers, auteurs de ce vol, dont deux sont encore munis de deux effets, l'un d'un étui garni de diamants et l'autre d'une pierre, assez forte pour être d'un grand prix, qu'il a fait dénaturer.

« Nous savons leur demeure. Nous les dénommerons à MM. les Administrateurs, lorsque nous croirons qu'il en sera temps. Nous sommes bien aises, madame la Comtesse, de vous en faire part et d'être avec un profond respect, etc.

« Leroux, Lebègue,
« préposés pour le département. »

C'était une fausse piste. On soupçonna ensuite le fils du maire de Bailly, puis un sieur Badou, garde-suisse, et un sieur Philippe-Joseph.

C'était encore une erreur. Un mois s'écoula sans que les plus actives recherches fussent couronnées de succès, lorsque, le 15 février 1791, la comtesse Du Barry reçut de Londres un courrier qui lui annonça que les trois voleurs étaient arrêtés. L'un d'eux s'appelait Harisse. Ils s'étaient présentés chez le joaillier Simon et lui avaient offert à vil prix divers diamants. Simon se douta d'un vol, fit arrêter les trois individus et mettre les bijoux en sûreté. La police anglaise apprit que les diamants appartenaient à la comtesse Du Barry et la prévint immédiatement de la découverte.

Celle-ci partit le 16 février de la même année et s'embarqua le dimanche 20, à Boulogne. Elle arriva à Londres, reconnut ses bijoux et, en attendant l'instruction du vol, consentit au maintien de leur dépôt chez les banquiers Hamersley, Morland et C°. Ces détails précis résultent d'une note rédigée par la comtesse elle-même, indiquant jour par jour les divers incidents de l'affaire. Après un peu de temps passé en Angleterre, madame Du Barry quitta Londres le 1er mars 1791 et rentra à Luciennes le 4. Elle y trouva le duc de Brissac, désolé de la perte qu'elle venait de faire et dont il était la cause innocente. Le duc de Brissac lui légua une rente de 24,000 livres pour l'indemniser de ses frais de voyage et de ses recherches.

À ce moment les feuilles démagogiques répandaient le bruit que la comtesse Du Barry avait porté ses diamants à l'étranger pour secourir les émigrés. Cette accusation perfide était un premier avertissement dont la comtesse ne voulut pas tenir compte. La fameuse publication, contenant la nomenclature éblouissante des bijoux volés, portait ses fruits [2]. Tant de richesses excitaient les plus basses et les plus redoutables cupidités. Elles allumaient la colère du peuple contre la favorite qui, disait-on, avait pillé les trésors de l'État.

Le 4 avril 1791, madame Du Barry se met de nouveau en route, munie d'une lettre de créance des frères Vandenyver, ses banquiers, lesquels demandaient à la maison Hamersley et Morland de lui accorder ses bons offices. Ils priaient les banquiers anglais de fournir à la comtesse tout l'argent qu'elle pourrait leur demander et de s'en prévaloir sur eux par appoint. Madame Du Barry passa trente et un jours à Londres dans ce deuxième voyage. Là, tout en suivant l'instruction de son procès, elle se mit en relations avec les de Crussol, les de Calonne et autres émigrés, curieux de revoir une femme qui avait joui si largement des faveurs d'un roi. Elle prêta, c'est elle qui l'affirme, 200,000 livres à M. de Rohan-Chabot, moyennant hypothèques [3].

Elle rentre le 21 mai à Luciennes. À peine arrivée, elle reçoit un courrier important d'Angleterre. Il faut à tout prix qu'elle reparte. Sa présence à Londres est indispensable. Elle n'hésite pas et entreprend deux jours après son troisième voyage. Elle reste trois mois à Londres (Bruton-Street), fréquentant les émigrés, suivant son long procès et écrivant de temps à autre à ses gens pour les affaires de sa maison et pour leur recommander de surveiller « les confitures qui sont toujours trop cuites ! »

Comme le procès menaçait d'être interminable, elle se décida à revenir à Luciennes. Dans ce séjour, elle se consola de ses fatigues et de ses déboires avec le duc de Brissac. Celui-ci demeurait si souvent près d'elle que la comtesse de Mortemart, sa fille, en était réduite à prier madame Du Barry « de vouloir bien lui donner des nouvelles de son père. »

Paris et Versailles se préoccupaient toujours du vol des diamants. Un sieur Pile, officier de police, écrivait le 24 mai 1792 la lettre suivante à M. de la Neuville, dont on connaît les rapports avec madame Du Barry :

« Monsieur,

« Par votre dernière lettre que vous m'avez fait l'honneur de m'écrire, vous me marquiez que je pouvais m'adresser aux personnes qui m'avaient mis en ouvrage pour le vol de madame la comtesse Du Barry. Ce fut le sieur Harick, cent-suisse, qui est venu m'apporter le signalement des personnes que l'on soupçonnait être les auteurs de ce vol et il m'a très engagé à ne rien négliger pour découvrir ces particuliers. J'ai dans ce temps dit à ce même M. Harick que l'affiche que j'ai fait afficher dans Versailles ne portait récompense que proportionnée aux effets que l'on ferait retrouver et que si je ne découvrais rien, je n'aurais rien. Il m'a répondu à cela que M. le duc de Brissac y prenait le plus vif intérêt et que je ne risquais rien. Je vous prie, monsieur, de demander à madame la comtesse Du Barry si elle entend me payer ou non…

« Pile. »

L'officier de police présentait en même temps une note de 170 livres qui ne fut soldée que plus tard, ce qui semblerait indiquer que la comtesse était à ce moment dans une sorte de gêne, résultat fatal de ses incroyables dépenses.

Les amours de madame Du Barry et du duc de Brissac qui duraient depuis un an, sans avoir été troublés par les graves événements politiques, prirent fin tout à coup d'une manière tragique. Le 29 mai 1792, le duc de Brissac, commandant de la garde constitutionnelle, était arrêté comme suspect et envoyé à Orléans devant la Haute Cour de Justice. Peu de mois après, le brave et infortuné gentilhomme était égorgé à Versailles après une glorieuse resistance. « Le voilà consommé ce crime effroyable, écrivait madame Du Barry à M.

de la Neuville, qui me rend si malheureuse et me livre à des regrets éternels ! » Et, s'adressant à la comtesse de Mortemart : « La crainte d'augmenter votre juste douleur m'empêche de vous en parler. La mienne est à son comble. Une destinée qui devait être si belle et si glorieuse… Quelle fin, grand Dieu ! »

Ces regrets sincères, où se dévoile pour la première fois une émotion qui mérite d'être remarquée, sont à l'honneur de cette femme si frivole et si insouciante. La mort épouvantable du duc de Brissac était un second avertissement pour madame Du Barry.

Que fait-elle alors ? Elle cache des sacs d'or et d'argent et ses derniers bijoux dans le jardin et dans le grenier du pavillon de Luciennes. Quelque temps après, avertie que le fameux procès allait enfin se terminer, elle retourne à Londres [4]. Pour ce quatrième et dernier voyage, elle avait pris ou cru prendre toutes les précautions. Se sentant poursuivie, surveillée, traquée par des ennemis invisibles, elle avait prié Lebrun, ministre des affaires étrangères, de mentionner dans son passeport qu'elle allait à Londres « où son malheureux procès nécessitait sa présence, car autrement sa municipalité, ne la voyant pas instruite d'un voyage en pays étranger, pourrait la regarder comme émigrée et mettre les scellés chez elle. »

Triste pressentiment, aussitôt suivi d'effet, car

le Courrier français faisait paraître, le 2 septembre 1792, le perfide article dont voici la teneur :

« Madame Du Barry a été arrêtée à Luciennes et elle vient d'être conduite à Paris. On s'est aperçu que cette vieille héroïne de l'ancien régime envoyait continuellement des émissaires à Orléans. On avait arrêté chez elle un aide de camp de M. de Brissac. On a pensé avec raison que ces fréquentes ambassades avaient d'autres objets que la galanterie, à laquelle madame Du Barry doit enfin être tout à fait étrangère. Maîtresse et confidente de M. de Brissac, elle a partagé autrefois ses trésors et ses plaisirs, elle partage peut-être aujourd'hui son ambition contre-révolutionnaire.

« Il sera piquant pour nos neveux d'apprendre que madame Du Barry a été arrêtée presque dans le même temps qu'on abattait à Orléans la statue de la Pucelle ; cette arrestation a été faite dans la nuit du 3o au 31, vers les deux heures du matin… »

Le chevalier d'Escourt, informé de cette dangereuse dénonciation, écrivit quatre jours après à la comtesse Du Barry :

« J'ay été trouver le rédacteur du *Courrier français*, qui rétractera demain la fausseté de l'article qui vous concerne. Je lui ay promis récompense sy cet article étoit bien fait. »

D'un autre côté, madame Du Barry avait eu soin de prévenir la municipalité de Luciennes de son départ, en lui faisant observer à qu'en toutes occasions, elle avait donné des preuves de son civisme et de son respect pour les lois ». Elle s'était engagée en outre à rentrer en France dès que son procès serait terminé en Angleterre. Elle arriva à Londres le 22 octobre 1792 et y resta plus de quatre mois. Le procès ne fut définitivement jugé que le 22 février 1793, les voleurs condamnés et les diamants restitués à la comtesse, qui les laissa provisoirement en dépôt chez les banquiers Hamersley et Morland [5].

Madame du Barry fit alors ses préparatifs de retour. On rapporte à ce sujet qu'ayant appris à Pitt (qu'elle voyait souvent en compagnie de M. de Calonne et d'autres émigrés) son dessein de retourner à Luciennes, le ministre anglais s'écria avec emphase ou ironie : « Eh bien, madame, vous subirez le sort de Régulus ! »

La comparaison était au moins originale.

Ce qui poussait madame Du Barry à revenir en France, c'était la nouvelle que les scellés avaient été placés sur ses biens par ordre du Directoire de Versailles, à l'instigation de l'Anglais, nommé Greive [6], membre des clubs, qui l'avait dénoncée comme émigrée.

Sans écouter ses amis, ne songeant qu'à ses richesses qui s'élevaient encore à plus d'un million de livres, madame Du Barry quitte Londres le 3 mars 1793, arrive à Calais le 5, et le 19 à Luciennes. Greive et les domestiques de la comtesse, Zamor et Salanave, chassés par elle, l'un pour ingratitude, l'autre pour infidélité, veulent procéder à son arrestation. Le Directoire de Versailles déclare cette mesure illégale et la fait suspendre. Les misérables, qui convoitent les richesses de madame Du Barry, s'adressent à la Convention, font paraître des libelles injurieux et soulèvent la colère du peuple contre l'ancienne favorite. En vain madame Du Barry se défend de porter le titre de comtesse « qui blesse, dit-elle, les lois de son pays » ; en vain essaie-t-elle de séduire Lavallery, membre du Directoire de Versailles, son arrêt est déjà prononcé.

Le 18 septembre 1703, par une sorte de dérision du sort, elle solde la note suivante :

« Payé pour deux chevaux pendant huit à dix jours pour aller passer les nuits à Bailly pour le fils du maire qui était soupçonné d'être un des hauteurs (sic) du dit vol, 96 livres. — À un homme qui m'a accompagné, 42 livres. — Pour faux frais à Versailles et à Bailly, 28 livres. — Pour faire afficher les affiches du dit vol par ordre de M. Graillet, 4 livres, 8 deniers [7].

« Total 170 livres, 8 deniers.

« Je certifie l'état de la dépense ci-dessus véritable.

« Versailles, le 18 septembre 1793, l'an

deuxième de la République Française une et indivisible.

« Pile ».

Ainsi, la dernière dépense de madame Du
Barry était le paiement des recherches faites pour
les diamants qu'elle ne devait plus revoir. À ce
moment, M. de Rohan-Rochefort l'invite à passer
quelques jours chez lui. Il est trop tard. L'heure
n'est plus ni aux amours, ni aux frivolités. Le 22
septembre 1793, la comtesse est arrêtée et
conduite à la prison de Sainte-Pélagie.

Elle y reste deux mois et elle y retrouve les
Vandenyver, qu'on lui donne pour complices. Le 3
décembre, Fouquier-Tinville lit son acte d'accusation. Nous y relevons le passage suivant. L'accusa-
teur public, parlant de l'exil de madame Du Barry
à l'abbaye de Pont-aux-Dames, s'écrie : « Dans
cette retraite salutaire, elle aurait dû faire les plus
sérieuses réflexions sur le néant des grandeurs ! »

Ce conseil, venant d'un tel prédicateur, ne fait-
il pas sourire ?

Le 6 décembre, madame Du Barry comparaît
devant le tribunal, et, le lendemain, lâchement ac-
cusée par d'ignobles valets, Zamor, Salanave,
Briard et Lamante, qu'elle avait comblés de bien-
faits, elle est condamnée à mort. Le 8 décembre
1793, à quatre heures du soir, elle montait sur la

charrette fatale, et, parmi ses derniers cris, on entendait cet effroyable appel au bourreau : « Encore un moment, monsieur, je vous en prie !… » [8].

Telle fût la fin de cette courtisane. Sans le vol de ses diamants, sans la publication imprudente où elle dévoilait ses richesses, sans cet éveil donné à la cupidité et sans ses voyages fréquents en Angleterre, peut-être aurait-elle pu échapper à la mort. Quoi qu'il en soit, en succombant sur l'échafaud, sanctifié par le sang des plus nobles victimes, elle ne retrouva pas le courage qui, au dernier moment, relève les plus coupables.

Les derniers aveux effrayants de la Du Barry, entrecoupés de pleurs et de sanglots, entre deux guichets de la Conciergerie, relatifs aux objets précieux qu'elle avait cachés à Luciennes, amenèrent la condamnation et le supplice de son fidèle valet de chambre, Morin, du chevalier d'Escourt et du commissaire de marine, Labondie.

Ainsi sept personnes, un duc, un chevalier, un officier de marine, trois banquiers et un valet périssaient pour cette femme. Ajoutons à ces morts le membre du Directoire de Versailles, Lavallery, qui, craignant les poursuites que pouvait amener une sympathie réelle de sa part pour l'ancienne favorite, se suicida à Marly.

Quelques mois après l'exécution de la Du Barry, le 16 germinal an II (5 avril 1794), Jacquier, agent national près le département de Paris, écrivait au citoyen Crépin, commissaire au même département, cette lettre dont nous avons retrouvé l'original à Versailles :

« Bureau des contentieux des émigrés.

« Je te préviens, citoyen, qu'il faut te transporter le plus tôt possible à l'Administration de la police de Paris pour y enlever des diamants et autres effets précieux qui appartenaient à la femme Du Barry et qui ont été déposés entre les mains de cette administration par le défenseur officieux de cette femme. (C'était le citoyen Delainville.)

« Tu recevras pareillement une assez grande quantité de bijoux qui ont appartenu à la femme Morbant. Comme ces deux femmes ont subi la peine de mort et que leurs biens ont été acquis au profit de la République, tu transporteras tous ces objets précieux à la Trésorerie nationale, inventaire préalablement fait, au bas duquel les préposés à la Trésorerie te donneront décharge. Tu rapporteras ledit inventaire en bonne forme dans le délai de deux jours au bureau du citoyen Derval.

« Jacquier. »

Voici maintenant le procès-verbal qui constate

la remise des derniers bijoux de la Du Barry à la Monnaie :

« Le 14 floréal an II, le citoyen Crépin, commissaire au département de Paris, assisté des citoyens Lelièvre, administrateur de la police, Lerlage et Berdat, commissaires de la municipalité de ladite commune, a remis en présence des susdits au bureau de change de la Monnaie les effets ci-après qui appartenaient à la nommée Du Barry, condamnée par le Tribunal révolutionnaire, et qui avaient été déposés à l'Administration de police : « Une montre dans sa boîte d'or, de Genève, le mouvement au nom de Castagnet, n°s 150 et 371 à Paris, cadran à quantième ; un cachet surmonté d'un pilastre de jaspe sanguin et d'une émeraude où se trouvent deux O et deux L et une clef d'or, titre inconnu ; une bague ovale avec une pierre en cabochon nuancée couleur café et montée en or, dite argentine rougeâtre ou aventurine ; un médaillon en or représentant un Espagnol [9] ; un couteau à lame d'or, le manche d'ébène garni de deux viroles de onze brillants chacun et recoupé ; une bonbonnière ovale en cristal de roche, le pourtour et le fond carrés, charnière et gorge en or portant une rose de sept brillants, recoupé ; une bague en or portant un brillant triangulaire, petit, jaune, monté à jour ; une monture de cachet en or à quatre branches, garnies ainsi que l'entourage de petits brillants ; une paire de boucles de femme, en or, ornées chacune de 36 grosses perles et de 4 très-petites aux angles ; une autre paire de boucles montées à jour, chacun de 44 brillants ; une boîte de montre en or, entourée de 20 brillants, recoupée de chaque côté, et de dix rubis ; un rubis au repoussoir ; la bellière garnie de 14 petits brillants ; la chaîne en or ornée de 36 petits brillants recoupés et de 20 rubis ; aux deux glands se trouvent à chacun 5 brillants et 5 rubis ; l'entourage du dessous composé de 6 brillants et 6 rubis ; neuf pendants composés chacun de 2 brillants et de 2 rubis :

« 9^m 5° 4 gr. d'argenterie montée Paris, à 11 d. 69 en une seringue en six parties et une boîte à pommade ;

« I. 3. 3. 18 bijoux à 18 k. en deux petits gobelets, deux petites cuillers, un demi-aulne et un couteau, l'émail retiré. »

Madame Du Barry avait déclaré le 18 frimaire an II (8 décembre 1793), à dix heures du matin, qu'elle avait confié ces bijoux au citoyen Montrouy, en faisant observer qu'elle avait reçu de lui 250 à 300 livres à titre de prêt, ainsi que le coucher dont elle avait fait usage pendant sa détention. C'est ainsi que la police fut amenée à s'emparer de ces valeurs, pendant que les accusateurs de la comtesse prenaient de leur côté le contenu de divers étuis à or et pillaient certaines cachettes à Luciennes [10]. On calcule que l'État, en confisquant les richesses du pavillon de Luciennes, s'attribua pour plus d'un million de livres en tableaux, dentelles, argenterie, bijoux, cristaux, lingerie, etc., etc.

Mais qu'étaient devenus les célèbres diamants… ? Voici le résultat de nos recherches à ce sujet.

Après la condamnation des voleurs, le 22 février 1793, les diamants étaient restés en dépôt chez les banquiers Hamersley et Morland, dont la maison se trouvait à Londres, Pall Mail Street. Madame Du Barry avait consenti à ce dépôt. Quelle était leur valeur précise ? « J'ai évalué, disait la comtesse dans son interrogatoire devant le Tribunal révolutionnaire, à 1,500,000 livres les diamants qui m'ont été volés. »

Une lettre du prince de Poix leur donne l'estimation et la destination suivantes :

« Paris, 5 brumaire an IX (27 octobre 1800).

« Madame Du Barry avait laissé en Angleterre des diamants qu'elle estimait valoir 300,000 livres. J'ai entendu dire qu'ils n'avaient été vendus que deux cent mille livres. M. de Boissaison, qui a épousé sa nièce, a réclamé 150,000 livres, et je crois qu'il a été payé de cette somme. Peut-être Mlle Berlin a-t-elle touché une partie du reste. C'est tout ce que je sais, sans pouvoir l'affirmer posi-tivement. »

La lecture des objets volés tendrait à prouver que l'estimation faite par madame Du Barry est plus exacte.

Mais il y a là un doute que nous ne pouvons dissiper. Quant à la vente, diverses pièces, qui fi-gurent à la bibliothèque de Versailles, nous ap-prennent que les diamants furent cédés, un un après la mort de la comtesse, c'est-à-dire à la fin de 1794, au prix de 13,300 guinées. Cette vente eut lieu sur les ordres de la Chancellerie de Londres. Jusqu'à ce jour, on croyait que les diamants avaient été vendus immédiatement après les conclusions du procès.

Les créanciers accoururent de toutes parts. Ils étaient nombreux : le marquis de Boissaison, le marquis de M…., le colonel de G., M. de la Neu-ville, Mlle Bertin, sans compter des fournisseurs qui réclamaient plus de 900,000 livres. Suivant la lettre du prince de Poix, il est à présumer que M. de Boissaison, mari de la nièce de madame Du Barry, la marchande de modes Bertin et quelques autres créanciers absorbèrent le prix de la vente des diamants. Quant au legs Brissac, qui consistait en une rente de 24,000 livres, et à la rente Rohan-Cha-bot, ils furent également la proie des créanciers.

Ainsi, même après sa mort, la DuBarry était

poursuivie par des avidités insatiables. La Révolution, ses parents, ses fournisseurs se disputaient ses dernières dépouilles. Aucune larme n'était versée sur elle, aucun regret ne la suivait dans la tombe. Que restait-il donc de la Du Barry ? Le triste souvenir d'une fille du peuple, avide, jusqu'à la frénésie, d'or, de parures et de diamants, d'orgies et de plaisirs grossiers, dernière passion d'un roi abominablement corrompu…

Il restait enfin — sévère et providentielle leçon pour les princes — l'exemple du fatal pouvoir d'une courtisane sur un esprit sans énergie, sans conviction, sans dignité, sur un monarque oubliant le passé glorieux de ses ancêtres et léguant sans remords à ses successeurs le fardeau d'un avenir redoutable !

HENRI WELSCHINGER.

---

1. Voir à l'Appendice, pièce n° 3.
2. Relevons en passant une erreur dans laquelle sont tombés les biographes de madame Du Barry. Ce n'est pas une affiche collée sur les murs qui avertit le public du vol des diamants, mais bien une petite brochure distribuée à profusion au coin des rues de Paris. Cette brochure, très rare aujourd'hui, est du format in-12. Elle sortait de l'imprimerie de la veuve Delaguette, rue de la Vieille-Draperie, à Paris. (Archives nationales, carton W^{300}, dossier 307.)
3. Louis-Antoine-Auguste de Rohan-Chabot lui constitua neuf mille livres de rente annuelle et perpétuelle le 31 janvier 1793, par devant maître Massy, notaire, demeurant rue

de Seine, faubourg Germain. (Archives nationales, W^{16} 701.)

4. Voici comment elle voyageait. Elle partait en poste, couchait à Amiens, dînait à Bernay, couchait au Bourg de Calais, déjeunait à Calais, prenait le paquebot de Calais à Douvres et de Douvres se rendait à Londres. Elle se faisait escorter de deux femmes de chambre et d'un domestique. Le premier voyage, qui seul eut lieu par Boulogne, lui coûta 6,000 livres, le second 15,000, le troisième 30,000. Nous ne connaissons pas les frais du quatrième. (Archives nationales, W^{16} 701.)

5. Voir les notes de Morin à l'Appendice (pièce n° 9).

6. Voir la note 10 à l'Appendice.

7. Ces affiches sont absolument distinctes des publications faites à Paris.

8. La Du Barry était née le 19 août 1746 à Saint-Laurent de Vaucouleurs (Meuse). Elle mourait donc à l'âge de 47 ans accomplis.

9. Cet Espagnol était le duc de Brissac.

10. Voir la lettre des membres de la commission envoyée à Luciennes pour la recherche des effets de la Du Barry, à l'Appendice, pièce n° 11.

APPENDICE : DOCUMENTS INÉDITS

I. - REÇU DE DIVERS DIAMANTS REMIS PAR MADAME DU BARRY AUX BANQUIERS VANDENYVER, POUR ÊTRE VENDUS À AMSTERDAM.

- « Deux brillants marqués peser 23 grains.
- Trois — — — 23 I(2
- Un — — — 21 —
- Trois — — — 25 —
- Un — — — 29
- Une pendeloque montée — 35 —
- Une bague d'un brillant pesant de 34 à 35 grains.
- Une paire de girandoles à 3 pendeloques, estimé 80 m. L.

Nous reconnaissons que Madame la comtesse Du Bary nous a remis les diamants ci-dessus énoncés, que nous enverrons suivant ses ordres à MM. Stopes et C° d'Amsterdam pour y être vendus au plus haut prix possible et nous rembourser le profit des avances que nous pourrons avoir faits à ma dite dame.

Paris, ce 21 novembre 1789.
Vandenyver père et fils aîné. »

(Archives nationales. Tribunaux révolutionnaires, carton W[16], dossier 701, 4e liasse D).

Une lettre de Vandenyver constate que ces brillants ont été vendus 133,000 livres.

II. — LETTRE DE PERRON, ADMINISTRATEUR DE LA POLICE, METTANT M. D'ANGREMONT À LA DISPOSITION DE MADAME DU BARRY POUR LA RECHERCHE DE SES DIAMANTS.

« Je présente à Madame Du Bary l'assurance de mon respect ainsi que le vif intérêt que je prends à son accident. Monsieur D'Angremont, Chef du Bureau militaire de l'Hôtel de Ville, à qui j'ai communiqué les renseignements que Madame Du

Bary m'a adressés, m'a témoigné le plus grand désir de joindre ses bons offices aux nôtres pour les perquisitions à faire, et il a désiré prendre lui-même quelques informations sur les lieux.

Madame Du Bary peut avoir en Monsieur d'Angremont toute la confiance que méritent comme lui les honnêtes citoyens, amis de l'ordre et de la tranquillité publique.

> Perron,
> Adm^r. de la police.
> Hôtel de la mairie, le 14 janvier 1791. »

(Archives nationales, carton W^{16}, dossier 701.)

III. — LETTRE DE MILORD HAWKESBURY À MADAME DU BARRY AU SUJET DE SON PROCÈS.

« Milord Hawkesbury fait bien ses compliments à Madame Du Barry. Il n'a reçu sa lettre du 14me que hier. Il sera enchanté de lui être d'aucune utilité dans ce pays-ci. Il y a quelque temps qu'il a eu une conversation avec milord Chancelier sur son affaire et milord Chancelier lui a dit qu'il avait déjà parlé à son avocat sur ce sujet, mais les loix de ce pays-ci ne permettent pas à aucun juge, pas même au Chancelier de se mêler dans la conduite actuelle du procès.

24me juin 1791. »

(Archives nationales, W^16 701.)

IV. — LETTRE DE FORTH À MADAME DU BARRY SUR LE JOUR FIXÉ POUR LES DÉBATS DE SON PROCÈS.

À Saint-Germain en passant, ce mardi 3i juillet 1792, à une heure.

« Madame la Comtesse,

Depuis la lettre que j'ai eu l'honneur de vous écrire de Londres, le 20 du courant, il n'y est rien de nouveau, sinon que, malgré toutes les manœuvres du scélérat *Allen*, les lords commissaires ont fixé précisément le 5 novembre (qui est le jour où la Cour du Banc du Roi rentrera après les vacances) pour la *décision définitive* de votre procès, devant milord Kenyon et un jury spécial.

J'aurai l'honneur de vous voir sous peu de jours et de vous assurer de vive voix du profond respect, avec lequel j'ai l'honneur d'être,

Madame la Comtesse,

Votre dévoué serviteur. »

(Cette lettre est de Forth, le fameux espion anglais. — Note de Greive, Archives nationales, W^{16} 701.)

V. — LETTRE DE VANDENYVER PÈRE À MADAME DU BARRY AU SUJET DES DÉCRETS CONTRE LES ÉMIGRÉS.

« Madame,

J'ai su avec la plus grande satisfaction par le billet que vous avez pris la peine de m'écrire le 9 de ce mois votre heureuse arrivée et bonne santé. J'espère que vous réussirés à faire juger votre procès promptement et à votre gré de manière à vous faire restituer vos diamants et afin que vous puissiés retourner bientôt dans votre possession, car les décrets de la Convention Nationale sont fulminants contre les sujets absents qu'on qualifie tous d'émigrés. Cependant je pense que vous ne pouvez point être regardée comme tel, attendu les passeports dont vous êtes munie et qu'il est notoire que le motif du voyage n'a eu d'autre but que le procès qui est connu généralement.

….Donnés-moi vos ordres pour les fonds que nous aurons de libres. Nous n'avons ici dans ces moments orageux d'autre placement solide que la nouvelle compagnie des Indes, qui n'a aucun trait aux affaires de l'État, mais elle ne paye que 4% d'intérêt l'an.

Je vous réitère, madame, les sentiments, etc.

Vandenyver père.
Paris, ce 19 novembre 1792. »

(Archives nationales, W^{16} 701.)

VI. — LETTRE DE VANDENYVER PÈRE À MADAME DU BARRY CONCERNANT SON COMPTE-COURANT ET SON PROCÈS.

« À madame la Comtesse Du Barry, à Londres.

…Nous trouvons que nous avons environ deux cent dix huit mille livres en caisse pour vous, ainsi que le constatera votre compte général que je vous remettrai par ma première.

Je ferai continuer ce mois-cy les payements à votre homme d'affaires.

Il me tarde bien d'apprendre que vous ayés terminé le procès du vol de diamants à votre satisfaction et que vous jouissiés d'une parfaite santé.

Dans cette attente je vous renouvelle les sentiments, etc.

Vandenyver père.
Paris, ce 7 janvier 1793. »

(Archives nationales, W^{16} 701.)

VII. — LETTRE DE FORTH À MADAME DU BARRY SUR LE DANGER QU OFFRAIT LA PRÉSENCE AU PROCÈS OU JOAILLIER ROUEN.

« Madame,

J'ai remis à M. Fleigh les 300 £ que vous m'avez envoyés, et il m'a dit alors que le lord Kenyon a fixé le 14 du courant pour le jugement de votre procès. M. Fleigh m'a encore confirmé que la présence de Rouen, comme témoin, ne peut que vous nuire, et que par conséquent nous ne l'appellerons pas, surtout comme Fleigh a reçu une lettre de M. Frochereau qui donne des bonnes raisons pourquoi Rouen lui a dit à plusieurs reprises, qu'il ne pourrait pas se trouver à Londres.

Si Rouen arrive, faites quelque prétexte pour ne pas le recevoir et dites-lui d'aller me parler, — en même temps il ne faut pas l'offusquer. — Je me charge de lui parler, car selon ce que M. Frochereau me marque, il est capable de tout.

En tout temps et en toutes occasions, je vous prie de compter sur le zèle et attachement de, madame, votre dévoué serviteur.

N. Parker Forth.

Ce dimanche 3 février (1793.) »

Sur cette pièce se trouve en note, de la main de Greive, les lignes suivantes :

« Preuve de ses liaisons avec Forth, le fameux espion anglais, qui n'a jamais cessé d'intriguer contre la France depuis 1777, époque du séjour de Franklin dans ce pays, mais surtout depuis la Révolution. Ce sont lui et Bethune Charost qui ont été les émissaires les plus actifs des cours de Londres, de Berlin et de la Haye.— Et c'est ce Forth qui, il est à présumer, a concerté avec elle à Louveciennes le prétendu vol de diamants pour servir de prétexte à ses voyages à Londres. Jamais trame n'a été plus profondément ourdie. Lisez les instructions à elle données par Brissac et remarquez les personnes qu'elle a fréquentées à Londres. »

(Archives nationales, W^{16} 701.)

VIII. — LETTRE DU JOAILLIER ROUEN À MADAME DU BARRY AU SUJET DU VOL DE SES DIAMANTS.

« À Madame Du Bary, à Louvetienne, près Marly.

Madame, Je vient d'apprendre avec grand plaisir que depuis quelques jours l'on a finit de vous persécuter. J'en ai été si flaté que je vous prie de me permettre de vous en faire mon compliment. Comme je présume que de suite la levée de vos sélées ne tardera pas, aussitôt que cela sera fait et que vous souhaitiés me mettre à même de pouvoir vous être de quelque utilité, relativement à votre vol qui est en Angleterre, vous pouvez disposer de moi. Je suis toujours prest à vous donner des preuves de l'attachement la plus sincère avec laquel j'ai toujours été et j'ai l'honneur d'être avec respect, madame, votre très-humble et très-obéissant serviteur.

J. Rouen.
Ce 27 août 1793. »

(Archives nationales, W^{16} 701.)

IX. — NOTES DU VALET DE CHAMBRE MORIN SUR LA DESTINATION À DONNER AUX DIAMANTS RECOUVRÉS.

« Nottes pour Madame la Comtesse.

Savoir : de M. Forth, ce qu'il y a taire pour ses diamans ;

Si on doit les porter chez M. Telussou.

Si il faut que M. Telusson paye les procureurs. »

(Archives nationales, W^{16} 701.)

Ces notes sont de Denis Morin, valet de chambre de madame Du Barry. — Probablement de février 1793.

X. — EXTRAIT DES REGISTRES DES DÉLIBÉRATIONS DE LA COMMUNE DE LOUVECIENNES, SUR LA CONDUITE DE GEORGE GREIVE, ANGLAIS DE SA NATION.

Savoir[1] :

« George Greive, en 1791, logeait chez François Renault, aubergiste à Louvecienne et officier municipal ; Greive a logé très-longtemps chez ledit Renault sans être connu dans ladite commune.

Greive s'est fait enregistrer au greffe de la municipalité, le mercredi 28 mars 1793 (vieux style), l'an 2 de la république française, suivant le décret du 28 février de la présente année, relatif au passeport, étant toujours logé chez le sieur François Renault qui alors était bourgeois et qui a signé l'enregistrement comme témoin; ainsi signé : Georges Greive. Certifié véritable, Renault, Duchosal, secrétaire greffier.

Le 29 avril 1793, la municipalité a été requise par le nommé Blache, commissaire, pour l'arrestation du nommé Chatillon. Le 30, par les recherches de la municipalité et par l'activité de la garde nationale de notre dite commune, Chatillon fut trouvé.

Le 21 juin, Greive commençait à se communiquer avec le maire et les officiers municipaux, vantait sa probité par son aubergiste Renault; pour les mieux tromper s'était déjà fait connaître par plusieurs individus qu'il avait séduits par son beau langage, au point qu'il a été chercher le décret du 2 juin, relatif à l'arrestation des personnes suspectées d'aristocratie et d'incivisme.

Avec plusieurs individus qu'il avait en confidence, ledit décret leur a été délivré au département de Seine-et-Oise. Le 20 juin, à 11 heures du soir, et le 21, il engagea le citoyen Ledoux, maire, à convoquer une assemblée au secrétariat, depuis 8 heures du soir jusqu'à 11, dont il a été convenu que l'assemblée serait réunie dans le jour, parce que les assemblées générales d'une commune ne doivent pas se faire la nuit. Le 29 juin, l'assemblée a été convoquée par le maire, le décret lu au prône, et 33 à 36 citoyens ont déclaré que la maison de la citoyenne Dubarry leur paraissait suspecte, suivant que Greive les avait disposés ; ensuite Greive s'est réuni avec Blache concernant l'affaire de la citoyenne Dubarry, a fait une adresse à la Convention contre ladite citoyenne et a engagé la municipalité à signer ladite adresse contenant les voyages qu'elle avait faits en Angleterre, puis invita les membres de la municipalité de l'accompagner à la Convention pour présenter ladite adresse et, mercredi 3 juillet, où lecture faite de la susdite adresse, la municipalité reçut l'ordre de mettre la citoyenne Dubarry en arrestation, d'après les dénonciations faites par Blache et Greive. Greive chercha dans le moment à se procurer une place auprès des représentants du peuple en surprenant leur bonne foi, ainsi que la municipalité de Louvecienne, à leur détriment.

Le 21 septembre 1793 (2ᵉ année), Greive a reçu du comité de sûreté générale de surveillance un pouvoir de mettre la citoyenne Dubarry en arrestation, signé : Bouché Saint-Sauveur, président, Amar, Vadier, Panis et David. Aussitôt, Greive s'est rendu à Louvecienne ; s'est permis de vexer la municipalité et chercha parmi les individus de la commune ceux qu'il croyait pouvoir être de son parti ; il en forma une garde et la posa dès l'instant chez la citoyenne Dubarry, sans en prévenir la municipalité qui ne l'a appris que par hasard, étant en fonction avec un commissaire nommé Baucheron, pour un autre objet. Ledit Greive n'a même fait enregistrer ses pouvoirs que le 5 octobre suivant, 15 jours après la date de l'exécution dudit pouvoir. Ledit Greive, voyant la municipalité arriver chez la citoyenne Dubarry avec le commissaire Baucheron pour les chevaux de luxe, nous a dit qu'il allait nous envoyer chercher pour l'accompagner dans ses fonctions, ainsi que le

juge de paix du canton ; où étant restés chez la citoyenne Dubarry avec ledit Greive et le juge de
paix, nous avons fait la recherche des papiers et
parafé à fur à mesure, par ledit juge de paix, sous
la réserve d'une partie de papiers que ledit Greive
s'est permis de faire enlever et porter par un de
ses gardes dans un carton chez son ancien aubergiste Renault, et ce sans être visé du juge de paix
ni parafé ni vu de la municipalité [2].

Dans la même nuit du 21 au 22, jour de l'arrestation de la Dubarry, le premier trésor s'est trouvé
dans l'épaisseur d'un mur et dans un caveau de la
cave, le second dans un cellier ou reserre, à 18
pouces de profondeur dans la terre, dont les objets
doivent être détaillés. Le commissaire Greive
n'était point à son poste dans ce moment; on l'envoya chercher sur les dix heures du soir pour reconnaître les objets. Greive, ayant marqué de
l'humeur de ce qu'on avait trouvé ce trésor,
quelques jpurs après, il fit mettre un placard à la
grille d'entrée de la maison de la Dubarry, que
personne de la commune, même de la garde nationale ni municipaux de ladite commune ne
puissent entrer sans sa permission et qu'il n'y
avait que sa garde affidée qui avait le droit
d'entrée.

Quelques jours après, Deliant, frotteur de la
Dubarry, a fait déclaration au Trésor des étoffes,
linge et dentelles au citoyen Jean Allain, muni-

cipal ; ledit trésor étant trouvé, Greive a commencé par insulter tous ceux qui avaient travaillé dans les opérations : le secrétaire du juge de paix, la municipalité, la garde nationale, tous ceux qui lui avaient paru trop honnêtes pour le suivre dans les injustices. Il a d'abord fait mettre en prison le procureur de la commune et un autre citoyen de Louvecienne, injustement. Il en a garanti trois autres de là, qui le méritaient bien, mais c'étaient des hommes affidés à lui et jacobins comme lui ; il a fait changer les capitaines de la garde nationale, bons citoyens, du commencement de la Révolution, qui se sont toujours montrés en bons patriotes, de peur d'être lui-même surveillé, et il leur a porté une haine si grande, jusqu'à en faire assassiner un, chargé de famille et-des plus surveillants patriotes et premier capitaine du centre de ladite commune, jusqu'à l'insulter dans le Temple de la Vérité, dans une fête de fraternité, lui et quatre autres de ses satellites, dont l'agent national a apaisé cet assassin prémédité.

Greive ayant déjà mis la terreur à l'ordre du jour dans notre dite commune, s'était fait un parti de 12 ou 15 individus de notre commune, y compris sa garde choisie à son gré. Le 9 octobre 1793 (v. s.), ou le 18e jour du premier mois de l'an 2me de la république, Greive fit changer la municipalité par les représentants du peuple Charles de La Croix et Joseph Mathurin Musset, par ses conseils

séditieux ; et ce, pour éloigner de lui la municipalité qui avait été présente aux premières opérations des trésors trouvés en partie par eux chez la
citoyenne Dubarry, ainsi que des scellés apposés
sur les meubles et effets qui ont été levés plusieurs
fois par l'ordre de Greive, pour faire voir les trésors à ceux qui lui plaisaient ; et ce, avant que les
commissaires de l'administration du district de
Versailles ne soient venus pour la vérification de
tous les trésors, meubles et effets trouvés dans ladite maison par la première municipalité ; et,
après qu'il eut rédigé ses procès-verbaux des premiers inventaires, par la terreur qu'il avait portée
dans ladite commune et les communes voisines,
en faisant emprisonner beaucoup de personnes
innocentes, menaçant tous ceux de notre commune qui n'étaient pas de son parti de prison et
de guillotine, il a été assez injuste, bien du temps
après avoir fait changer la municipalité, de les
rappeler pour signer ses procès-verbaux, sans leur
représenter les objets inventoriés depuis longtemps et dont il s'était permis d'en avoir fait lever
les scellés [3], plusieurs fois de son autorité privée
et sans faire lecture même desdits procès-verbaux.

Les municipaux ont signé par crainte dudit
Greive, le reconnaissant pour un homme de sang,
faux et injuste au-delà de toute expression. Les
municipaux donneront un désaveu de leurs signa-
tures à toute réquisition, vu qu'ils ont été

contraints par la terreur que Greive leur a portée, ainsi que ses agents et tous agents de Robespierre. Greive a établi la société populaire de Louvecienne, le 4 frimaire de l'an 2ᵐᵉ ; il en a été le dictateur et toujours président, et, quand il était absent, c'était l'un de ses agents terroristes ; où il s'est passé tant d'injustices et de terreur que l'on pourrait dire de ce despotisme le plus outrageant qu'il allait jusqu'à la scélératesse ! Greive avait déjà ordonné au commandant de sa garde et à un de ses fusiliers d'aller tout briser les meubles du temple, ce qu'ils ont exécuté, le 21 brumaire an 2ᵐᵉ, avec tant d'acharnement et de cruauté qu'ils ont tout cassé jusqu'aux vitraux ; ceci s'est passé sous les yeux de la municipalité ; le maire et l'agent présents, le fusilier leur dit, avant de commencer leurs cruautés sur les effets du temple, comme saints tableaux et autres : « *Nous avons des ordres pour venir ici, et nous verrons les b..g.. qui nous empêcheront.* »

Non content de cette première sottise, le fusilier a été boire avec d'autres gardes de la commune et se sont permis, sous l'ordre et la protection injuste de Greive, d'aller chez les propriétaires de la commune et notamment chez le citoyen Duchosal, maître de pension, le sabre à la main ; la gouvernante qui était seule à la maison avec un jeune homme d'environ 6 à 7 ans ; ont forcé d'ouvrir la porte de la chambre dudit citoyen Duchosal pour y prendre ses tableaux qui représentaient, l'un la *Piété filiale*, l'autre le *Père de famille* et l'autre une *Vierge en miniature*, et s'en sont emparés. Le citoyen Duchosal a fait desser procès-verbal par la municipalité ; les perturbateurs ont été arrêtés et conduits en prison ; mais Greive les a fait sortir et leur a donné de l'argent. Comme il en était l'instigateur, Greive changea toute la municipalité dans l'intention de faire tout le mal qu'il lui plairait de faire. Il s'avisa d'ordonner à l'agent national qu'il avait choisi de faire former un comité de surveillance dans notre commune, qui n'est composée que de 900 âmes, ce qui a été fait sur le réquisitoire de l'agent national, le 19 ventôse an II, dont Greive en était le maître. Quand il y allait, il y présidait ; comme presque tous les membres dudit comité étaient ses agents, tout était dirigé par lui. Les membres dudit comité mettaient en arrestation et s'établissaient gardiens. Enfin, il s'y est passé tant d'injustices, de cruautés et de vexations, que Greive passe et passera dans l'esprit des bons citoyens de notre commune et des communes voisines pour le tyran le plus cruel et le plus justement abhorré. Il a été rayé de la société populaire de Louvecienne, par procès-verbal de ladite société en date du 20 frimaire de l'an 3me, ainsi que le nommé Zamor, à qui la citoyenne Dubarry faisait une pension, le logeait et le nourrissait. Ce Zamor était l'agent de Greive, le dénonciateur de sa bienfaitrice ; ainsi que le nommé Jean Ténot, domestique, à qui elle avait fait donner des maîtres pour avoir quelques talents pour vivre. Les deux ingrats sont devenus les agents de Greive et les dénonciateurs de leur maîtresse. Le citoyen Ténot a fait de fausses dénonciations contre le citoyen Gourdonneau, notaire à Marly, pour lui avoir refusé 1200 fr., l'a fait mettre en prison par Greive, où il a resté 10 à 11 mois. Greive ayant fait mettre les scellés chez le citoyen Nicolas Tranchant, cuisinier de la citoyenne Dubarry, après l'avoir fait conduire à la Force, n'a point jugé à propos d'établir de gardien, et Greive s'est permis, d'après les scellés apposés, de faire prendre chez ledit citoyen Tranchant 72 livres de chandelle, dont il les a réclamées à la levée desdits scellés.

Greive fut arrêté vers Amiens au mois de nivôse an III par un gendarme, et conduit dans les prisons de Versailles, à la diligence et dénonciation du juge de paix du canton de Marly, Louis-René Houdon, et écroué par 22 autres dénonciateurs qui ont paru devant lui ; et Charles Lacroix, représentant du peuple, en mission à Versailles, et le représentant lui a donné son élargissement, sans que les dénonciateurs sachent le résultat et les motifs de son élargissement.

Greive s'est vanté dans notre commune d'avoir fait tomber 17 têtes sur l'échafaud et notamment celle de la citoyenne Dubarry, ainsi qu'il l'a fait écrire sur sa carte d'hospitalité, enregistrée au greffe de la municipalité de Louvecienne le 21 germinal de l'an II ; ledit enregistrement dicté par lui, vrai ou faux, a été signé par crainte par la municipalité.

Pour connaître Greive, voyez le journal des lois du 20 pluviôse an III, n° 851 (dimanche 2 février 1795) : au rédacteur du journal des lois, Paris, 19 pluviôse an III.

Vous le verrez peint tel qu'il est. Il croit que personne n'a pu le connaître et que pour le bien connaître il faudrait être lui-même.

La citoyenne Déliant, femme de garderobe à qui la citoyenne Dubarry avait confié différents effets, Greive en ayant connaissance, la fit venir et après l'avoir maltraitée et fait tourner comme un tonton (*sic*) très longtemps dans la chambre, il la menaça de la faire guillotiner, si elle ne lui avouait pas où elle les avait mis. Les menaces lui firent conduire cet homme vers un tas de fumier où elle les avait déposés :

- Une écuelle d'or avec son plateau.
- 6 cuillers d'or.
- 2 grands gobelets d'or avec un plateau, une branche au milieu pour le soulever.
- 8 flacons de cristal de roche avec leurs bouchons et leurs chaînes en or.

- Une boite de toilette d'argent d'un pied pour mettre des épingles.
- 3 boîtes de bidet d'argent pour mettre des épingles.
- Une montre enrichie de diamants et le fond de la boîte garni de diamants.
- Une chaîne en émeraudes et diamants.
- Un gros diamant jaune en cœur.
- 3 petits paquets de diamants.
- 200 louis en or.
- 1 boîte en émail avec une charnière enrichie de diamants, doublée en or.
- Une boîte d'écaille avec un portrait enrichi de diamants, doublé d'or.
- Une petite boîte à mouches, d'or émaillé.
- Plusieurs étuis garnis d'or.
- Plusieurs couteaux de poche en or.
- Une bourse de 200 jetons d'or octogones, valant 4 louis chaque.

Autre article.

Dans le cabinet de toilette, Greive enleva plusieurs cartons remplis de papiers, malgré les représentations des juges et en présence des citoyens Duchosal, Aliu, Ledoux, maire, Fournier.

Cet enlèvement fut dénoncé au citoyen Lacroix, lors de l'interrogatoire de Greive chez lui, par le citoyen Alin.

Le citoyen de la Neuville, arrêté chez la citoyenne Dubarry et qui habitait la maison dite le Potager, à Louveciennc, lui a écrit de la Grande Force et du Luxembourg, pour qu'il envoyât à sa tille, qui était à Paris pendant l'emprisonnement de ses parents, ces papiers de famille, et pour prier Greive de ne pas confondre ses effets avec ceux de Mme du Barry ; il ne lui répondit pas et tout fut vendu. »

XI. — LETTRES DES MEMBRES DE LA COMMISSION ENVOYÉE À LOUVECIENNES POUR LA RECHERCHE DES BIJOUX DE MADAME DU BARRY

« Les membres composant in commission envoyée à Louveciennc pour la recherche des effets de la Dubarry aux citoyens Lacroix et Musset, représentans du peuple, en mission à Versailles, le 28 frimaire, 2me année républicaine (18 décembre 1793) [4].

Citoyens représentants,

Nous vous envoyons une copie du procès-verbal d'une de nos opérations qui mérite le plus votre attention, en attendant que nous puissions vous rendre compte de toutes celles qui résulteront de notre mission.

Nous avions déjà interrogé les personnes qui pouvaient être suspectées d'avoir recélé quelques objets dans la maison. Une femme et sa mère avaient été examinées à plusieurs reprises, parce qu'ils ne déclaraient les objets qu'à force d'être stimulés et vendus par leurs complices ; la femme et sa mère étaient encore devant nous, revenant d'indiquer la place où elles avaient jetté des choses précieuses, dans le bassin de Marly, lorsque plusieurs citoyens et citoyennes sont entrés avec gaîté en nous montrant une montre enrichie de diamans que deux des citoyennes avaient trouvé dans un des bassins indiqués ; mais que la femme et sa mère n'avaient pas dit être du nombre des objets jettés par elles dans les bassins ; quoi qu'elles fussent convaincues d'avoir caché la chaîne dans du fumier, où elle avait été découverte à notre arrivée, avec beaucoup d'autres objets de grand prix.

Nous ne pouvons vous peindre, citoyens représentants, la scène qui s'est passée devant nos yeux. D'un côté, le crime reconnu écrasait les coupables, qui, cherchant en vain des excuses, demandaient grâce en pâlissant. De l'autre, la vertu, débarassée d'un lourd fardeau, s'épanouissait. Une jeune fille était à côté de sa mère qui partageait sa satisfaction avec entousiasme, une jeune femme qui l'avait aidée dans la découverte était à côté de son mary, triomphant d'avoir une épouse digne d'être offerte comme modèle à ses concitoyens.

D'autres honnêtes gens étaient venus avec ceux-là, ils n'apportaient que quelques flacons de cristal, trouvés aussi dans un bassin ; mais tout en enviant le sort des plus heureux, ils partageaient la joie commune. Tous semblaient recevoir au lieu d'offrir. Ils étaient tous contens, excepté cependant les deux femmes récelleuses qui étaient toujours là et dont la douleur et le remord augmentaient en proportion de la gaîté générale.

Nous avons pensé, citoyens représentants, que les deux jeunes citoyennes avaient mérité de vous être présentées et que vous jugeriez peut-être bon, pour leur récompense et pour l'encouragement aux belles actions, de les offrir au peuple assemblé dans le Temple de la Raison décadi prochain, à Versailles. Si vous aderés à cela, si vous les présentés vous-même, elles et leurs bons parents seront bien payés de leur bonne action. Ils chériront d'autant plus la Révolution, qui déjà fait sentir au peuple ses droits, ses devoirs et sa dignité.

Vous parlerons-nous de la dernière catastrophe de cette scène douloureuse et consolente ? La femme coupable, rentrée chez elle, auprès de son mari malade, a passé la nuit dans un morne silence, et le matin, ayant trouvé le moyen d'éviter la surveillance de ses gardiens, elle s'est coupé la gorge, après avoir encore jetté par la fenêtre des bijoux précieux ; on a arrêté le coup et il n'est pas mortel.

Jugés, citoyens représentans, et faites-nous savoir vos intentions, nous ferons ce que vous déciderés :

Houdon, juge de paix, Facquet, Villette, Huré, Le Page, Bicault, maire. »

XII. - EXTRAIT DES DÉCLARATIONS REÇUES PAR LES COMMISSAIRES CHARGÉS DE LA RECHERCHE DES OBJETS DÉSIGNÉS PAR LA DÉCLARATION DE LA FEMME DUBARRI.

« Le vingt-cinq frimaire l'an second de la République française une et indivisible, sont comparus par devant nous et avec un air triomphant qui annonçait la bonne nouvelle à nous donner, la femme du citoyen Borgard suisse à la porte du Cœur Volant du ci-devant château, Jeanne-Agathe Gournay, fille de Pierre Gournay, tailleur d'habits à Paris, accompagnés de Joseph Borgard, Agathe-Sophie Gournay, mère de la dite Gournay ; lesquelles Jeanne-Agathe Gournay et femme Borgard nous ont déclaré en présence des susnommées, que passant, il y a six semaines, près le bassin à côté du Cœur Volant, ils ont vu au fond de l'eau de ce bassin un papier dont le volume leur a fait croire qu'il pouvoit contenir quelque chose ; qu'aïant retiré de l'eau le papier dont il s'agit, elles l'ont sur le champ développé ensemble et ont étées très-surprises d'y trouver une montre à répétition enrichie de diamans ; que la première idée qu'elles avoient eue au moment de cette découverte étoit que cette montre pouvoit appartenir à quelqu'un qui s'étoit noyé dans le bassin.

Examen fait de la montre déposée par les comparantes, nous avons reconnu que cette montre est effectivement à répétition garnie de diamans très-brillants sur le dessus de la boëte, sur le pourtour du cadran et son aiguille; la ditte boëte étant marquée au dedans et sur le cadran du nom Romilly. (Pareille à celle déclarée par la Dubarri.)

Interpellation faite par nous à la femme Borgard et à Jeanne-Agathe Gournay de nous déclarer le motif qui les avait engagées à différer de dénoncer à la municipalité de Marli ou à une authorité constituée quelconque la découverte prétieuse qu'elles avoient faite ;

Nous ont répondu avoir attendu le moment où cette montre pourroit être réclamée, mais qu'il étoit dans la pureté de leurs intentions de la remettre à la Convention Nationale dans le cas où l'on auroit tardé à la réclamer ; et à l'instant les dits Borgard et Sophie Garnier présents ont confirmé sur leur honneur l'assertion des comparantes, en certifiant que, du moment de la découverte de laditte montre, laditte femme Borgard et laditte Agathe Gournai leur en avoient fait part et s'étoient toujours entretenu ensemble du plaisir qu'ils trouveroient de remettre la montre entre les mains des représentans du peuple, dans le cas où personne ne se présenteroit pour la réclamer.

Lesdittes femmes Borgard et laditte Agathe Gournay ont déclaré qu'instruites par deux commissaires choisis parmi nous pour procéder sur les six heures du soir à la découverte de plusieurs objets prétieux manquans, elles avoient pensé que la montre dont il s'agit pourroit faire partie de ces objets et que ce motif joint à celui de leur délicatesse et de leur probité les avoient engagé à venir nous apporter laditte montre.

Les déclarations et dépôt qui viennent de nous être faits nous persuadant que cette conduitte annonçoit de leur part des sentimens dignes d'éloges, nous avons arretté que pour donner à cette action toute la publicité qu'elle mérite et faire jouir les dittes deux comparantes de la récompense d'honneur due aux faits distingués, copie du présent seroit envoyé aux citoyens La Croix et Mucet, représentans du peuple à Versailles, au comité de surveillance de Versailles, et que part en seroit faite à la Convention Nationale, pour que les uns et les autres puissent peser dans leur sagesse et mesure avec la reconnoissance le degré de mérite de l'action des dittes deux citoyennes et en faire rejaillir l'honneur et le prix sur les parens respectables, témoins de leurs déclarations généreuses ; qu'en outre la ditte Agathe Gournay seroit ainsi que la ditte femme Borgard présentées d'après notre invitation auxdits La Croix et Mucet, pour que le jour de l'inauguration du Temple de la Raison à Versailles, elles puissent dans ce jour de feste qui aura lieu le décadi prochain trente frimaire, donner à leurs concitoyennes l'exemple de la vertu couronnée.

Les dittes deux comparantes ayant requis que copie de leurs déclarations leur soit donnée pour leur servir de décharge, nous leur avons sur le champ donné acte du dépôt de la montre sus-désignée et arrêté qu'en conséquence copie du présent leur seroit remise pour toutes deux.

Lecture faite à laditte Agathe Gournay et femme Borgard du contenu de leurs déclarations, y ont persisté assurant contenir vérité et ont signé tant avec nous qu'avec les dits Jh. Borgard et Agathe Sophie présents au dit Dépôt.

Lequoy
Secrétaire de la Commission. »

XIII. - LETTRE DE GREIVE À L'ACCUSATEUR PUBLIC FOUQUIER-TINVILLE.

« Si vous jugez à propos de m'envoier ici la personne chargée de sommer les témoins qui demeurent à Louveciennes et à Versailles, j'aurai soin de lui donner les renseignements nécessaires.

Je ne sais si le Comité vous a fait passer un petit travail de trois heures que j'ai fait l'autre jour, d'après la demande de Vouland [5] pour vous aider dans votre opération. En tous cas, en voici une copie [6]. Il est bien loin d'être complet, mais s'il vous aide "tant soit peu, occupé comme vous l'êtes, mon but sera rempli.

Pardonnez à ce griffonnage, car je suis excédé de travail, et faites-moi le plaisir de garder ce que je vous fais passer, puisque je n'ai pas gardé de copie.

Salut et fraternité. Liberté, Loyauté,. République.

Greive,
chargé de mission à Louveciennes, près Marly-la-Machine. »

Louveciennes, ce 5 frimaire l'an II de la République une et indivisible (25 novembre 1793. — Archives nationales).

XIV. — DIVERSES DÉPENSES DE MADAME DU BARRY À LONDRES.

Note de la main de la Du Barry de sommes données à divers particuliers à Londres, parmi lesquels il est à croire qu'il s'est trouvé quelques émigrés. (Indication de Greive).

1792. — Dépense depuis novembre :

- Donnés à madame Case.. 13o guinées.
- Carrosse. . . . 66 —
- Pour linge bain. . . . 31 —
- Etraine (*sic*) . . . . 3 —
- Souscription. . . . 1 —
- Matelas, couverture. . . . 6 —
- Henriette. . . . 4 —
- Vin. . . . 2 1/2 —
- Maréchal. . . . 6 —
- *M. Meliac.* . . . 46 —
- *Frondeville.* . . . 22 —
- Reste. . . . 36 —
- *Crousat.* . . . 42 —
- *Soubise.* . . . 46 —
- *Comtesse.* . . . 26 —
- Linge de table,. . . . 20 —
- *Pauline.* . . . 46 —

« Ne serait-ce pas de l'argent donné aux émigrés ? C'est écrit de la main de la Du Barry. Il faut demander à la Du Barry qu'est-ce que ces gens dont j'ai souligné le nom ? Surtout cette Pauline ? On la croit la duchesse de Mortemart, fille de Brissac. »

(Archives nationales. — Note de Greive.)

XV- — ACHAT DU RÉCIT DE LA RÉVOLUTION DU 10 AOÛT, OUVRAGE DE PELTIER.

Dernier Tableau de Paris, ou Récit historique de la Révolution du 10 Août, etc., par M. Peltier, de Paris. (Archives nationales.)

« J'ai reçu de madame la comtesse de Parry (sic) la somme de une guinée pour 12 exemplaires de l'ouvrage ci-dessus énoncé qui paraîtra conformément au prospectus.

Londres, le 26 octobre 1792.
Peltier. »

« Elle ne s'est pas contentée de s'abonner pour un exemplaire de cet infâme ouvrage. Elle en a pris douze !

C'est à Londres que la Du Barry a acheté cet exécrable ouvrage ! » (Note de Greive.)

XVI. — CHANSON DU TROUBADOUR BÉARNOIS.

Tout alors était suspect, jusqu'aux chansons mêmes !... Pour en donner une idée, nous détachons de la première liasse du dossier des Archives nationales, composé par Greive et intitulé ainsi :

« Nottes et renseignements concernants l'infâme Du Barry et ses complices », la troisième pièce, que nous reproduisons textuellement avec l'annotation de Greive.

Des vers galants de l'abbé Delille, que Greive appelait « le poète en titre de la Du Barry », et trouvés au pied d'une statue de Vénus mutilée dans les bosquets de Marly, figurent également parmi les pièces à charge de la maîtresse de Louis XV. On voit avec quel soin étaient composés les dossiers du tribunal révolutionnaire.

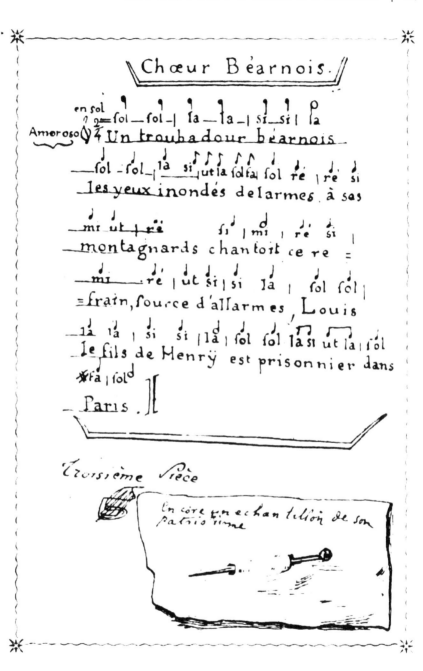

1. Papiers de la Du Barry, bibliothèque de Versailles, tome I, n° 90. On lit en note : « Pièce précieuse qui prouve la conduite du citoyen Greive, anglo-américain et commissaire du comité de sûreté générale. »
2. Ce sont probablement la plupart des papiers qui se trouvent aux Archives nationales (Carton W^{16}, dossier 701).
3. « Le premier scellé a été posé par Greive et le juge de paix Fournier, le 22 septembre 1793, et a continué plusieurs jours. Quelques jours après, les scellés ont été croisés par le Comité de surveillance de Versailles, à la tête duquel était Salanave (valet de chambre de Madame Du Barry), dont lesdits scellés ont été levés à la réquisition du citoyen Deleras, commissaire, avec le citoyen Houdon, juge de paix du canton de Marly, le 8 ventôse de l'an II, en exécution d'un arrêté du district du 6 dudit mois de ventôse. »
4. Ces documents sont tirés du cabinet de M. Etienne Charavay.
5. Représentant du peuple.
6. Un dossier concernant madame Du Barry.

~

.

Milton Keynes UK
Ingram Content Group UK Ltd.
UKHW022106271023
431481UK00005B/61

9 782384 551316